TOM KUMMER

VON

SCHLECHTEN

ELTERN

ROMAN

TROPEN

Tropen
www.tropen.de
© 2020 by J. G. Cotta'sche Buchhandlung
Nachfolger GmbH, gegr. 1659, Stuttgart
Alle Rechte vorbehalten
Printed in Germany
Cover: Zero-Media.net, München
unter Verwendung zweier Fotos von
© Niels Oberson, Eyem/Gettyimages (Landschaft) und
© Miguel Sobreira/Trevillion Images (Vater/Sohn)
Lektorat: Bärbel Brands
Gesetzt von C.H.Beck.Media.Solutions, Nördlingen
Gedruckt und gebunden von GGP Media GmbH, Pößneck
ISBN 978-3-608-50428-6

Vierte Auflage, 2020

1

01:30. Landstraße, Fahrtrichtung Osten. Kein Gegenverkehr. Tote Dörfer, als gäbe es eine Ausgangssperre. Ich streichle das Lenkrad, das Leder der Handschuhe knirscht leise. Mein Fahrgast diktiert das Reiseziel. Im Kopf fahre ich, wohin ich will.

Auf gerader Strecke nahe Lausanne. Die Straße schimmert matt wie von Asche überzogen. Ich schalte alle Lichter aus, nehme beide Hände vom Steuer und gleite in die Dunkelheit, bis ein Wunder geschieht: Auf der Windschutzscheibe erscheint ein Gesicht – männliche Nase, volle Lippen, blaue Augen.

Mehr als fünf Sekunden Geisterfahrt schaffe ich selten. Auf den Armaturen leuchten jetzt die Warnsignale des *Intelligent Driving Systems*. Ich schalte die Abblendlichter wieder ein, schiebe die rechte Hand zwischen meine Beine und werfe einen Blick in den Rückspiegel. Mein Passagier schläft.

Ich habe ihn vor der Genfer Hauptzentrale der Banque Nationale de Paris abgeholt. Er sei Geschäftsmann aus Dakar-Senegal, informierte die Zentrale. VIP-Status. Er spreche Französisch. Reiseziel: Hotel Bellevue, Bern.

Ich schlucke die rote Tablette. Sie soll mich wachhalten. Drücke meine Hand tiefer in den Schoß. Fühlt sich an, als ob sich elektrisch geladene Fäden von den Fingerspitzen durch den ganzen Körper spinnen würden. Bei Vevey gleite ich auf die Autobahn, weiter östlich erscheinen Umrisse, wie Ruinen einer verbrannten Stadt: Montreux. Mein Blick fällt auf das Foto am Armaturenbrett. Es zeigt Vincent und Frank mit ihrer Mutter. Ich starre sie an, als seien sie mir eine Antwort schuldig.

Irgendwann erwacht mein Passagier. Er hustet. Ich blicke in den Rückspiegel. Er schaltet sein iPad ein. Ein kräftiger Afrikaner, Anfang vierzig, im viel zu engen Nadelstreifenanzug, mit roter Krawatte, Siegelring am Mittelfinger, ein Silberzahn glänzt im halboffenen Mund.

Er fragt jetzt, wie lange die Fahrt noch dauere.

Nicht mehr so lange, sage ich.

Er nickt und schaut durch das Seitenfenster. Auf dem Pannenstreifen stoßen Straßenarbeiter schwerbeladene Schubkarren Richtung Norden.

Was ist das für eine Gegend?, fragt er.

Greyerz. Hier wird Käse hergestellt.

Dieser berühmte Käse mit den großen Löchern?

Nein, kleine Löcher.

Er starrt wieder auf sein iPad, dann kurz in meinen Rückspiegel.

Ein See taucht in der Dunkelheit auf, die Oberfläche glänzt wie Glas.

Lac de la Gruyère, sage ich. Das ist der längste Speichersee der Schweiz.

Er starrt in die Schwärze.

In diesen Gewässern trieb ich als Kind. In einem Ruderboot. Vater fischte Forellen. Mittendrin liegt eine Insel, öde und gottverlassen. Bäume säumen das Ufer, die sich in der Düsternis wie Knochen abzeichnen.

Woher kommen Sie?, fragt mein Fahrgast.

Bern.

Sie sprechen Französisch mit englischem Akzent.

Ich nicke in den Rückspiegel und ziehe die Hand zwischen meinen Beinen hervor.

Hab lange in den USA gelebt.

Ich schalte das Radio ein, auf SRF 2 läuft klassische Musik. Der Gegenverkehr nimmt zu. Bei Freiburg verlasse ich die Autobahn.

Was gefällt Ihnen an der Schweiz?

Ich richte den Rückspiegel.

Die Nacht. Sie beruhigt mich.

Die Nacht? Das ist alles?

Tagsüber schlafe ich.

Er starrt jetzt auf das Foto am Armaturenbrett.

Ist das Ihre Familie?

Ja.

Nieselregen. Verschmierte Windschutzscheibe.

Intelligent Driving System meldet sich zurück. Scheibenwischer einschalten.

Blick in den Rückspiegel. Er lässt nicht locker.

Und Ihre Frau ist bei den Kindern, während Sie arbeiten?

Nein. Sie ist tot.

Der Afrikaner schaut zur Seite, lockert seinen Krawattenknoten.

Das tut mir leid.

Für einen Moment sehe ich ihn an seiner Krawatte von einem Baum hängen. Vielleicht ist es die Langeweile.

Sie sind alleinerziehender Vater?

Ja.

Keine Frau in Aussicht?

Er spielt weiter mit seiner Krawatte.

Ich bin nicht allein, sage ich und studiere die roten Muster auf dem zu breiten Ding.

Ich halte mir eine Schweizer Hausangestellte, die ich übers Internet buche.

Stille. Der Senegalese hustet, als ob er sich verschluckt hätte.

Dann beugt er sich vor, Schweiß auf seiner Stirn, er legt die Hand auf meine Rückenlehne.

A Swiss maid, really?

Ja, sieht sogar aus wie meine verstorbene Frau. Ein Avatar.

Er blinzelt.

Ein Avatar?

Ja.

Und wie sind Schweizer Hausangestellte, die man im Internet buchen kann?

Er hat Feuer gefangen.

Die sind total verrückt nach Senegalesen, antworte ich und grinse.

Mein Fahrgast starrt reglos in den Rückspiegel. Dann lässt er sich in seinen Sitz zurückfallen und klatscht amüsiert in die Hände.

Mon dieux, Sie machen mir vielleicht Spaß! Fast hätte ich Ihnen geglaubt. Schweizer Haushälterinnen? Das gibt es doch nicht.

Er blickt wieder auf das Foto.

Stille.

Meine Frau ist vor drei Jahren in Dakar gestorben. An Gelbfieber, sagt er.

Er schaut in die Schweizer Nacht.

Glauben Sie an ein Leben nach dem Tod?

Ich blicke in den Rückspiegel.

Daran glaube ich nicht, Monsieur.

Wieso glauben Sie nicht daran?

Menschen sind biologische Maschinen. Wir funktionieren. Nach dem Tod verrotten wir. Das ist alles.

Das glauben Sie?

Ich lüge ihn an. Ich lüge sie alle an.

Der Senegalese beugt sich wieder vor.

Glauben Sie nicht, dass wir göttliche Wesen sind, mit einer unsterblichen Seele und einem ewigen Geist?

Nein, das glaube ich nicht.

Ich schon. Wir können in ein vergangenes Leben zurückkehren und dort mit unseren Toten sprechen.

Er deutet auf das Foto. Ich reagiere nicht.

Andere Fahrer montieren hier ein Kreuz. Oder Bilder von Haustieren. Obwohl uns die Zentrale verboten hat, Persönliches im Wagen auszustellen. Wenn ich mein Foto lange genug anschaue, schießen die Stromschläge bis zum Hals.

Sie spannt Fäden in mir. Manchmal spüre ich ihren Würgegriff, so fest, dass mir die Luft wegbleibt. Natürlich kennt der Senegalese die Wahrheit: Die Toten kehren zurück. Sie kontrollieren dein Leben. Aus Rache. Vielleicht will sie mich umbringen.

02:55. Wir nähern uns der Stadt. Der Turm der Verbrennungsanlage glimmt im roten Kunstlicht, sie gleicht einem riesigen Schiff aus Beton. Mein Passagier kann nichts erkennen. Er ist wieder in sein iPad vertieft. Er sieht nicht die Kolonnen von alten Menschen. Klein und gebeugt bewegen sie sich, gestützt auf ihre schwarzen Stöcke, zur Verbrennungsanlage. Dann der lange Boulevard Richtung Stadtzentrum.

Bern ist eine Geisterstadt, kalt und trostlos. Ich sehe Obdachlose, die beim Weltpostdenkmal um ein Feuer stehen und beten. Asche schwebt über dem Asphalt. Schwärme von Krähen säumen die Bundesgasse. Streunende Hunde trotten Richtung Hauptbahnhof. Hinter den Regierungsgebäuden leuchten die Alpen im Mondlicht. Dann sind wir am Ziel: Hotel Bellevue. Ein Nachtportier steht bereit. Ich steige aus. Der Senegalese umarmt mich wie einen alten Freund.

Swiss Maids, flüstert er in mein Ohr. Er klopft mir grinsend auf die Schulter.

Sie sind ein großer Spaßvogel, *mon vieux!*

Er will mir zwanzig Franken Trinkgeld geben. Ich lehne ab.

Als ich das Kinderzimmer betrete, liegt Vincent auf dem Bett, mit ausgebreiteten Armen, wie ein Engel. Draußen, über dem Haus, kreisen die Krähen. Sie sind mir bis in den Ostring gefolgt. Ich ziehe mich aus, die Handschuhe zuletzt, und lege mich neben meinen Sohn. Wie immer, wenn ich von der Arbeit nach Hause komme. Ich lausche seinem Atem, streichle seine Stirn, dann die nackte Brust. Betrachte die Form seines Bauchnabels. Dann küsse ich seinen zarten Hals. Irgendwann sucht Vincents Hand mein Gesicht. Sie tastet sich von meinem Hals zum Mund vor. Sanft berührt sie meine Augenbrauen, so sanft, als sei meinem zwölfjährigen Sohn längst klar geworden, dass ich ihn mehr brauche als er mich. Erst als es draußen hell wird, werde ich müde. Ich sollte das Frühstück vorbereiten. Ein neuer Schultag beginnt. Vor dem Kinderzimmerfenster treiben Rauchschleier vorbei. Weiter südlich leuchten Eiger, Mönch und Jungfrau in der Morgensonne. Ich küsse seine Stirn und lege meinen Kopf an seinen. Ein schutzloses Baby, das seine Eltern braucht. Manchmal zucken seine geschlossenen Augenlider. Es hat Nächte gegeben, da habe ich zu weinen begonnen, während ich sein schlafendes Gesicht betrachtete.

In Los Angeles sagte ich meinen Söhnen erst spät, dass ich zurück in meine alte Heimat müsse. Frank, der Ältere, weigerte sich. Dad, nicht in die Schweiz, bitte!

Die Schweiz ist ein Sehnsuchtsland. Viele Menschen versuchen, in die Schweiz zu flüchten, erklärte ich. Sie flüchten nicht vor Geistern, sondern weil sie politisch verfolgt werden. Oder in der Schweiz einen Partner fürs Leben finden wollen. Aber es gelingt nur wenigen.

Frank überzeugte das nicht. Als wir vor acht Monaten ohne ihn in Zürich-Kloten landeten, sagte ich Vincent auf dem Weg zur Passkontrolle: Wir haben großes Glück! Die Schweiz ist das Paradies auf Erden. Vielleicht das reichste Land der Welt. Bestimmt das sicherste.

Als wir von den Einwanderungsbehörden ausgesondert und in einem grell erleuchteten, kahlen Raum verhört wurden, bekam er Angst. Er begann zu weinen. Er vergrub sein Gesicht in meinem Schoß. Ich massierte seinen Nacken. Ich versuchte, ihn zu beruhigen. Sie müssen uns reinlassen, habe ich Vincent gesagt. Wir sind Schweizer. Und wir haben alles verloren.

Ich gebe Vincent einen Kuss auf die Stirn, ziehe die Decke von seinen Füßen. Es ist 07:15 Uhr. Er muss zur Schule. Ich öffne die Fenster in seinem Kinderzimmer, in einer spartanisch eingerichteten Vierzimmerwohnung, oberster Stock eines Hochhauses in einem Berner Außenbezirk, mit Blick auf die Nordwände im Süden und die Jurazähne im Norden. Ein Plattenbau aus den frühen Sechzigerjahren mit großzügigen Gartenanlagen, flankiert von einem kleinen kuratierten Wald, in dem fast alle Arten vorkommen, die in einem Schweizer Wald wachsen. Die Baumkronen enden direkt vor Vincents breiter Fensterfront, und es sieht ein bisschen aus, als lebe er in einer Baumhütte. Oder einem Geisterschiff. Das ist unsere neue Heimat.

2

01:30. Landstraße Richtung Zürich. Kein Gegenverkehr. Der dichte Nebel auf der A3 zwang mich zu einem Umweg. Bei Münchwilen bin ich von der Autobahn abgefahren und am rechten Rheinufer der Hauptstraße 7 gefolgt, dann auf die 5 Richtung Süden. Mein Fahrgast weiß davon nichts. Es ist eine dunkelhaarige Frau, Ende dreißig, mit schönen traurigen Augen, vertieft in ihren Laptop. Ich starre sie schon viel zu lang im Rückspiegel an. Von der Zentrale gab es keine genaueren Angaben. Sie spreche Englisch. Kein VIP-Status, was mich überraschte. Ich hatte sie beim Hauptquartier des Chemieunternehmens *Novartis* abgeholt. Sie wurde von einem Portier und einem Sicherheitsbeamten zum Wagen eskortiert.

02:05. An Würenlingen vorbei. Verlassener Ort, reglos, ein Stück Schweiz nach dem Ende der Welt. Ein Waldstück mit toten Kiefern, dazwischen Gebäudetrümmer und Kabelstränge. Im Dickicht Menschen. Menschen im Wald. Manche an ihre Flugzeugsitze geschnallt, mit weit geöffneten Mündern, als stürzten sie gerade tausend Meter in die Tiefe. Ich sehe es ganz deutlich. Würenlingen.

Die Warnlichter des *Intelligent Driving System* melden sich zurück. Wir tauchen in eine Nebelbank. Sichtweite zwanzig Meter. Sie blickt durch das Seitenfenster, dann in meinen Rückspiegel.

Wo sind wir?, fragt sie.

Nahe Zürich, Madam. Keine Sorge, der Nebel ist kein Problem. Sie versucht, sich abzulenken, ohne auf den Bildschirm zu schauen. Blickt auf das Foto auf dem Armaturenbrett.

Das ist Ihre Frau auf dem Bild, korrekt?

Ja, Madam.

Sie hatte mich schon kurz nach Basel auf das Bild angesprochen. Jetzt fragt sie mich, ob ich Schweizer sei. Woher Vincent und Frank ihre Locken hätten. Und diese üppigen Lippen. Und ich erzähle ihr die Lügengeschichte, die ich all meinen Fahrgästen erzähle, wenn sie die Locken und die Lippen mit meiner Herkunft in Verbindung bringen.

Meine Familie kommt aus Nordafrika, sage ich.

Das habe ich fast vermutet, sagt sie. Ich komme übrigens aus London. Tochter einer Japanerin und eines Israeli. Schlimme Mischung.

Ständig werde ich auf meine Herkunft angesprochen.

Sie spricht, als habe sie Vertrauen zu mir gefunden.

Sagen Sie bitte Olga, sagt sie und lächelt mich an.

Tom, sage ich.

Ich mustere ihren Körper im Rückspiegel und werde immer unvorsichtiger. Mein Verhalten ist unprofessionell.

Was hat Sie nach Basel geführt?, frage ich und drehe meinen Kopf leicht über die rechte Schulter.

Schweigen.

Ich bin Unternehmerin in der Chemiewirtschaft. Ich unterhalte Labors.

Also sind Sie Chemikerin?, frage ich so ahnungslos wie möglich.

Nein, ich leite ein Unternehmen, das neue Medikamente entwickelt.

Sie lächelt.

Welches ist momentan das profitabelste Medikament der Welt?

Sie schaut aus dem Fenster.

Ich glaube, es ist ein Hepatitis-C-Medikament der Firma *Harvoni*. Mit Preisen von über 20 000 Euro für eine Monatspackung.

Ist ja noch teurer als Viagra. Ich grinse in den Rückspiegel.

Sie lacht zurück.

Benutzen Sie das?

Noch nicht.

Wir lachen.

Unsere Firma arbeitet an der Entwicklung von hochpotentem Sildenafil, ohne Nebenwirkungen. Und wir werden die Kosten senken. Das wird eine Revolution auslösen.

An was?

Schweigen.

Plötzlich beugt sie sich vor, als ob sie mit ihrer Hand meine Schulter berühren wollte.

Dann sagt sie: Viele Frauen finden unsere Forschung schädlich für die Sexualität. Der verdammte Feminismus beschäftigt sich aber viel zu sehr mit dem weiblichen Lustprinzip. Und nicht mit der *jouissance* des Mannes.

Ich weiß gerade nicht, was *jouissance* heißt. Ich blicke zurück, sie lächelt mich an.

Es gibt Männer, die Probleme haben, ihre Sexualität auszuleben. Das ist ungesund für die Welt.

Wir lachen.

Und Ihre Forschung wird das ändern?, frage ich.

Ja, davon bin ich überzeugt.

Ich blicke in den Rückspiegel und frage: Wie man Menschen zusammenbringt, dafür gibt es noch kein Medikament?

Sie starrt mich an. Ich spüre ein kaltes Prickeln, von meinen Fingerspitzen bis in den Magen. Ich habe schon viele Frauen durch die Nacht gefahren. War nie ein Problem. Diesmal ist es anders.

In der Windschutzscheibe die grün fluoreszierenden Ziffern der digitalen Zeitangabe. 02:44. Ich sage eine Weile nichts mehr, der Wagen gleitet auf die A3. Scheinwerfer blenden mich. Meine Augen schmerzen. Ich sollte eine Pille nehmen, Tropfen wären besser. Ich schalte das Nebellicht ein. Sie konzentriert sich auf den Bildschirm. Ich kann ihr Gesicht im Schein nur schwach erkennen. Aber ihre Augen leuchten, und sie hat einen wunderschönen Mund.

Wir gleiten am Zürichsee vorbei.

Ist das *Middle-Earth?*, fragt Olga plötzlich und lächelt mit aufreizender Strenge in den Rückspiegel.

Schweigen.

Wo war Tolkien eigentlich genau, als er die Schweiz besucht hat?

Ich drehe mich kurz um.

Sie meinen J. R. R. Tolkien, den Autor von *Der Herr der Ringe?*

Ja, genau.

Er hat das Lauterbrunnental besucht, sage ich. Mehr weiß ich nicht. Tut mir leid. Das Tal liegt hundert Kilometer südwestlich von hier. Sie müssten mit meinem Sohn Vince über Tolkien sprechen. Er weiß alles.

Ich strecke meinen Rücken. Das Lauterbrunnental. Gegenüber von Mürren liegt der Schwarze Mönch, Tolkiens Lieblingsberg. Mein Vater erzählte mir schlimme Geschichten über diesen Schwarzen Mönch, eine Wand, durch die er noch kurz vor seinem Tod geklettert ist und an der wir im April 1973 seine Asche verstreuten.

Genau in diesem Moment durchfährt mich eine Gier, als habe

meine Passagierin ein chemisches Mittel versprüht, ein neues Mittel, das von der Isolation befreit.

Vielleicht muss ich sofort reagieren. Doch meine Hände schmerzen, ich halte das Lenkrad zu sehr umklammert. Ich schaue in den Rückspiegel und sehe, wie Olga mit diesen wunderbar traurigen Augen über die Schwärze des Zürichsees blickt. Ich merke, dass es mir schwerfällt, nicht anzuhalten und es bei ihr zu versuchen.

Ein merkwürdiger Geruch umgibt mich jetzt. Der Geschmack von Eisen. Zürich ist erleuchtet unter schwarzen tiefhängenden Wolken. Ich beschleunige auf 135 km/h. Mein Blick heftet sich auf die weiße Mittellinie, als ob ich dort Halt finden könnte. Aber es gelingt mir nicht. Die Gier wird stärker. Nahe Kilchberg sehe ich Umrisse von Menschen im eisigen Seewasser. Nackte Oberkörper, rudernde Arme. Sie bewegen sich westwärts. Inmitten von Fischschwärmen und Aalen. Ich muss mich auf den Asphalt konzentrieren. Ich sollte etwas zu meiner Passagierin sagen, vielleicht von meinen Kindern erzählen.

Olga blickt in die glitzernde Dunkelheit. Ich könnte erzählen, dass unsere Jungs immer pünktlich zu essen, genügend Schlaf und Liebe bekommen haben. Dass sie ohne Regeln spielen konnten, sich ernst genommen fühlten und ihre Entscheidungen selbständig trafen. Den Kriterien der Glücksforschung zufolge sind unsere Kinder glücklich. Aber ich sage nichts. Sie schaut mich nur an.

03:20. Vaduz, Parkhotel Sonnenhof. Sie habe diese Fahrt genossen, sagt Olga. Wenn sie wieder die Schweiz besuche, werde sie mich als Fahrer buchen. Ein Hotelportier kümmert sich jetzt um ihr Gepäck. Der Kofferraum schließt automatisch.

Rückfahrt Richtung Westen. *Mittelerde.* Skelettiertes Land. Murg, Seewen, Ödischwend, Arn. Der See gefüllt mit Schlamm, darüber rotes Licht. Ich halte auf dem Rastplatz mit Panoramablick, öffne die Fenster, das Schiebedach. Über der anderen Seeseite sticht ein Flugzeug in den Himmel. Alles ruhig, die Landschaft geplündert, kahlgefressen. Stille, Totenstille. Ich stecke eine Zigarette zwischen die Lippen. Finde kein Feuer. Dann erscheint sie in der Dunkelheit.

Sie legt ihren Arm um meine Schulter, versucht mich zu beruhigen. Wie früher. Sie gibt mir Feuer. Wir blicken über den See. Sie küsst mich, ich schließe die Augen. Unsere Zungen kreisen umeinander. Ich spüre ihren Herzschlag direkt unter der Brust, ihren warmen Herzschlag, angetrieben von rotem Blut, das durch ihre Adern fließt. Ich streiche über ihr Haar, atme ihren Duft tief ein. Ihre Hände wandern über meinen Rücken. Diese Nacht! Wir tauchen ein in den Zürichsee, unfassbar warm. Seite an Seite gleiten wir durch schäumendes Wasser. Wild und schmutzig an der Oberfläche, sanft und stahlblau darunter. Ich schaue sie an, wie sie im Wasser schwebt, in zehn Metern Tiefe, entrückt. Ich ziehe sie an mich, durchflute sie mit meiner Wärme, und ihre Wärme durchflutet mich. Wir tauchen tiefer. Etwas funkelt dort unten. Sie wendet ihren Kopf ab, zieht mich hinterher, ich rufe ihr zu, schlucke Wasser, dann schaut sie mich an, aus Augen ohne Pupillen, aus ihrem Mund wächst der Schnabel eines Riesenkalmars. Ihre langen Arme reißen mich in die Finsternis, bis zum Grund. Sie saugt sich an mir fest. Der Chitinschnabel zerschneidet meine Lippen. Sie öffnet ihr Inneres, stößt bunten Nebel aus. Erst dann lässt sie los, lässt mich treiben, wie eine Leiche. Sie entfernt sich im Blau des Zürichsees, zieht ihren Schweif hinter sich her.

Ich tauche auf, schnappe nach Luft. Blutspuren auf dem Mond über Horgen. Donnergrollen über Kilchberg. Gibt es Erlösung?

Als ich zurück auf die Autobahn gleite, spüre ich Tränen auf meinen Wangen.

Du hast etwas verloren, Tom, du hast es vernichtet. Und dennoch ist es größer als du.

Koreanische Nachbarn in Los Angeles haben mir von dieser extremen Traurigkeit erzählt. Sie nennen den Zustand *Han*. Man könne daran sterben, sagten sie. Ein Weltschmerz. Ein Wahnsinn. Ein Kummer.

Im Rückspiegel ist Zürich nicht mehr zu sehen, die Stimme verstummt. Endlich, vor mir, das nicht enden wollende Nichts des Schweizer Mittellands, bei Nacht ist es erträglich. Der Kühlturm des Atommeilers stößt Rauchbänder aus, die sich leuchtend mit dem Himmel verbrüdern. Der Anblick tut gut. Vor den Mond schiebt sich Finsternis, aber mein iPhone leuchtet. Die Zentrale. Ich soll den Wagen direkt in die Garage am Casinoplatz fahren. Inspektion.

Ich nehme das Foto vom Armaturenbrett, falte es sorgfältig und stecke es in die Innentasche meines schwarzen Jacketts. Über mir ziehen die grünen Schilder der A1 hinweg.

05:04. Helle Sterne über dem Emmental. Je näher Bern rückt, desto unruhiger atme ich. Noch bleiben zwei Stunden, bis Vince erwacht. Die A1 führt am Grauholz vorbei, einem historischen Schlachtfeld. Am Waldrand steht ein Monument, ein zwölf Meter langer Säulenstumpf aus weißem Solothurner Kalkstein. Durch das offene Seitenfenster sind die Geräusche der Reifen zu vernehmen, sie klingen wie Schreie.

Jetzt breitet sich über Bern ein Flammenmeer aus, in den Alpen funkeln drei helle Punkte: Es sind die Stationslichter von Jungfraujoch, Schilthorn und Niesen.

Ich mache Halt bei der Raststätte Grauholz, stelle meinen Wagen zwischen zwei Lastwagen. Einfach kurz anhalten und durchatmen. Meine Brust schmerzt. Ich warte darauf, dass sich meine Trauer löst, wie Verkehr. Die Landschaft am Rand des Lastwagenparkplatzes sieht desolat aus. Neben Stromleitungen, die in rostenden Strängen ins Erdinnere führen, campieren ausländische Familien in ihren Wohnwagen. Ein Polizeiwagen patrouilliert. Er sieht mich nicht.

Ich lege den Kopf auf das Lenkrad. Halbschlaf. Denke an das mögliche Ende des Aletschgletschers, an die Vergänglichkeit unserer Existenz auf diesem Planeten, an ihre Stimme, die ich immer deutlicher höre, je länger ich auf die Windschutzscheibe blicke. Wie kann ich meinen Söhnen davon erzählen?

Ein Klopfen. Am Seitenfenster steht ein bärtiger Mann, die Hand zu einer Faust geballt. Er macht jetzt einige Schritte vom Wagen weg, während er nervös auf den Zehenspitzen wippt. Er trägt tarnfarbene Shorts, Kniestrümpfe und Jesuslatschen mit Outdoor-Profil, typisch für Lastwagenfahrer aus Österreich. Sein Gesicht kommt mir bekannt vor. Er hat jetzt seine Zigarette zurück in den Mundwinkel gesteckt. Er beginnt mit dem Kopf rhythmisch zu nicken, als ob er ahnte, was gleich passieren könnte. Er nähert sich geduckt dem Seitenfenster, wie ein Boxer, er klopft die Asche an meinem Spiegel ab. Ich solle hier weg, brüllt er in gebrochenem Deutsch. Ich hätte meinen Wagen falsch geparkt. Ich sehe seine fuchtelnden Arme, und langsam wird mir klar, an wen mich der Mann erinnert: an den Urgroßvater von Vince und Frank, Ninas Großvater. Ein Wehrmachtsoffizier, der bei der Schlacht um Stalingrad in Gefangenschaft geraten ist. Auf den letzten Bildern aus dem Kessel, die es noch bis nach Deutschland geschafft hatten, trägt er einen zerfransten Bart. Ich kenne sein Gesicht von einer Todesurkunde, die die Sowjetunion in den Fünfzigerjahren zuerst an die Bundesrepublik Deutschland schickte, und die von dort an die Familie nach Biel gelangte. Sie lag säuberlich verpackt in einem Paket, zusammen mit seiner Wehrmachtsuniform und einem silbernen Offiziersdolch.

Das Gesicht des Bärtigen am Seitenfenster löst in mir etwas aus. Ich muss es sofort loswerden. Oder vernichten. Dazu deute ich mit dem rechten Zeigefinger auf meine Brust und starre ihn an.

Sprichst du mit mir?

Ich schaue hinter mich, als ob da jemand sitzen würde. Aber da ist natürlich niemand. Ich lasse das Seitenfenster per Knopfdruck runterfahren.

Sprichst du zufällig mit mir?, wiederhole ich und deute wieder mit dem Finger auf meine Brust.

Ja, mit wem denn sonst?

Sein Lastwagen trägt österreichische Nummernschilder.

Nur Idioten übersehen dieses Schild! Du musst hier weg, kapische!

Ich beuge mich vor. Unter dem Sitz berühre ich die Blechverschalung meines Pannendreiecks. Sie hat eine scharfe Kante. Es brennt in meinem Hals. Ich atme schneller.

Nina hat ihre Familie manchmal gehasst. Ihr Hass war so tief, wie man in dem Schlachtfeld am Grauholz graben muss, um auf Knochen zu stoßen. Das ist verdammt tief, denke ich jetzt. Dabei hat Nina eigentlich gar nicht ihre Familie gemeint, sondern dieses Land.

Ich schaue in das Gesicht des Bärtigen, lächle ihn an und ziehe dann die leere Hand unter dem Sitz hervor. Ich lasse das Seitenfenster hochfahren. Mit der rechten Hand lege ich den Rückwärtsgang ein. Es sind nur fünf Kilometer bis nach Hause.

3

Ich gehe in die Küche und schiebe tiefgefrorene Croissants von *Migros* in den Ofen. Ich schalte den Timer auf zwölf Minuten. Dann stelle ich mich unter die Dusche und lasse perfekt temperiertes Wasser auf meinen Körper prasseln. Der Schweizer Wasserdruck ist stark und gleichmäßig. Anders als in unserer alten Heimat. Das Wasser in L. A. roch nach alten Leitungen, und der Wasserdruck war unberechenbar. Schweizer Wasser fühlt sich göttlich an. Sauber. Sicher. Vielleicht sogar gesund. Angenehm, es zu hören, zu spüren, wie es aufklatscht und über die Haut fließt. Einen Augenblick lang empfinde ich Frieden und denke an die letzten Massagen, die ich Nina unter der Dusche gegeben habe. Ihre heiße Hand, die sich an mich klammert.

Dann trockne ich mich ab, schaue meinen Körper im Spiegel an. Seit ich als Nachtchauffeur arbeite, erschlafft meine Muskulatur. Ich bin bleich im Gesicht, fast grau. Meine Augen wirken glasig. Ich kann mich im Spiegel nicht anlächeln, es geht nicht. Mut, Kraft, Entschlossenheit, alles scheint verloren. Wieso habe ich den Bärtigen am Grauholz nicht fertiggemacht? Ich rasiere mich mit monotonen Bewegungen. Bin ich noch ein Mann?

Leise öffne ich die Tür zum Kinderzimmer, als würde ich von einer fremden Kraft gesteuert, losgelöst von mir selbst. Vincents Wecker zeigt 07:15 Uhr. Ich betrachte sein Gesicht und streichle ihm über die Stirn. Ich lege mich neben ihn. Im Halbschlaf umarmt er mich wie aus einem Reflex heraus. Als ob er den Spannungszustand seines Vaters erahnen könnte. Ich stecke meine Nase in seine Achselhöhle. Ich mag die Gerüche, die sein Körper ausströmt. Meine rechte Hand liegt jetzt auf seinem Hals. Ich taste den kleinen Adamsapfel ab, spüre dabei den Körper seiner Mutter, kann sie auf seiner Haut riechen. Ich lege mein Ohr an seinen Mund, um ihren Atem zu hören. Vincents Körper macht mich glücklich. Es ist ein rauschhaftes Gefühl der Erleichterung. Hier liegen wir jetzt zusammen, in einem wunderschönen Stück Welt. Ein Kinderzimmer über Bern. Vincent schmiegt seine Schulter an meine Schulter. Ich spüre seine Wärme. Ich küsse seine Hand, küsse sein schönes Gesicht.

Irgendwann wird mir schwarz vor den Augen. Meine Augen brennen. Ich will, dass das Brennen aufhört. Meine Hand liegt noch immer auf dem zarten Hals meines Sohnes. Ich spüre, wie Vincents Körper zuckt. Er ist erwacht. Ich stehe auf, öffne das Fenster und eine Brise Schweizer Luft weht sanft über Vincents Gesicht.

Hi Daddy, sagt er und lächelt mich an.

Er schiebt die Decke vom Körper. Ich küsse seine Hand. Ich streiche ihm über die Haare, ziehe seinen Kopf an meine Stirn. So verharren wir einen Moment. Er schaut mich schief an. Ich starre zurück, als ob ich in seinen Augen einen Zugang zur Seele finden könnte. Als ob es so einen Blödsinn gäbe. Ich weiß, dass es so nicht weitergehen kann. Um mich abzulenken, frage ich ihn:

Willst du mit deinem Bruder über Facetime sprechen? Er ist bestimmt noch wach.

Es sind neun Stunden Zeitunterschied. Vince nickt. Aber Los Angeles antwortet nicht.

Später stehe ich mit Vince auf dem Balkon. Wir schauen auf unseren Nachbarn, der mit seiner schwarzen Dogge Runden im Hundepark dreht.

Kennst du den Mann?, frage ich.

Ist das nicht unser Nachbar?

Ja.

Manchmal grüßt er mich und fragt, wie es mir geht.

Sei nett zu ihm, aber sag ihm nichts über uns.

Wieso?

Ich weiß nicht. Er beobachtet uns. Das gefällt mir nicht.

Bist du sicher, Daddy?

Nein, sicher bin ich nicht. Aber ich rate dir, nicht mit ihm zu sprechen.

Vince schaut Richtung Berner Alpen. Es ist windig.

Wieso gibt es eigentlich Wind, Daddy?

Habt ihr das noch nicht gelernt?

Nein.

Weißt du, heiße und kalte Luftmassen erzeugen verschiedenen Luftdruck.

Als ich das sage, sehe ich, wie der Mann im Hundepark in unsere Richtung starrt.

Unterschiedlicher Luftdruck? Das ist alles? Am Wind ist nichts anderes dran als heiße und kalte Luft?

Vielleicht hat es auch mit dem Druck der Luftmassen zu tun, die in vertikale und horizontale Bewegungen gebracht werden. Was weiß ich? Bin ich vielleicht Meteorologe?

Nein, bist du nicht, Daddy. Wollte bloß wissen, wieso es auf dem Balkon am Morgen so schön ist.

Es ist der Wind, Vince.

Er gibt mir einen Kuss, zum Abschied, dann verlässt er die Wohnung. Vince hat recht. Der Wind am Morgen ist schön. Jetzt fällt es mir auch auf. Vielleicht ist der Morgen die geheimnisvollste Tageszeit. Ich versuche es zu fühlen. Aber das helle Licht wird allmählich unerträglich.

Bevor ich die Wohnung verdunkle, warte ich, bis Vince unten auf dem Fußweg erscheint. Er läuft zur Schule. Ich schaue ihm nach, wie er sich auf der Straße einer Gruppe Schulkameraden anschließt. Dann ziehe ich den Vorhang zu. Ich lege mich ins Bett und starre gegen die blauen Wellen der japanischen Tapete. Ich studiere einen kleinen Lichtfleck an der Decke, der durch den Vorhang dringt und mich nervt. Er wird zu einem Flammenmeer und dehnt sich über mir aus. Ich muss die Augen schließen und mich ablenken. Also versuche ich mir bildhaft vorzustellen, wie der Tod aussieht. Schwarz, wie sonst. Schwarz wie eine vierte Dimension?

Es ist immer das gleiche Ritual. Schlafen, Träumen, Erwachen. Ich träume vom Licht der Welt.

Es ist kurz nach Mitternacht im *Kaiser Permanente Hospital* am Sunset Boulevard. 7. Juni 1998. Geburtssuite 5D. Ich rede Nina liebevoll Mut zu, atme rhythmisch mit, massiere ihren Nacken. Und als plötzlich ein fremdes Wesen langsam zwischen ihren Beinen auftaucht, frage ich mich, ob man es vielleicht wieder in den Bauch zurückstopfen könnte.

Es erblickt das Licht der Welt und schreit drauflos. Ein seltsames Geschöpf mit dünnen roten Gliedern und goldigem Flaum auf dem Kopf. Irgendwann fragt der Arzt höflich, ob ich die Nabelschnur durchtrennen wolle. Ich antworte nicht, starre auf die Nabelschnur. Der Arzt gibt mir eine Schere. Ich zögere, und frage, ob man noch warten möge.

Der Arzt grinst mich mitleidig an: *Now or never* …

Die Nabelschnur wird über dem Nabel abgeklemmt. Ich schneide mit der Schere die Schnur durch. Der Mann im weißen Kittel klopft mir auf die Schulter. Ich lächle. Mein Hände sind kalt.

Ich höre ein leises Wimmern. Ich beobachte, wie sich Mutter und das fremde Wesen zum ersten Mal berühren. Ich wische mir Tränen aus den Augen. Ich bewege mich geduckt zur Liege, knie mich hin, lege meinen Arm um Nina und berühre die kleinen Beinchen.

Ich erwache. Ein Helikopter der Air-Glacier fliegt am Fenster vorbei Richtung Flughafen Bern-Belpmoos. Es ist früh am Abend.

Ich stehe auf, ziehe einen Morgenmantel mit der Aufschrift *Four Season Hotel Palm Springs* über. Vince sitzt bereits in der Küche und macht Schulaufgaben. Er fragt, wieso die Wohnung verdunkelt sei. Ich antworte nicht. Cool bleiben.

Ich kontrolliere Postsendungen, ein Brief des Berner Jugendamts. Die wollen schon wieder mit mir reden.

Ich studiere den Inhalt des Kühlschranks, nichts fehlt. Ich blicke Vince über die Schulter, streichle über seine Haare. Dann stelle ich mich in die Küche und bereite das Abendessen vor. Green Papaya Salat.

Später setzen wir uns an den Küchentisch. Beim Essen schaue ich heimlich auf sein Gesicht, wie sich sein Mund öffnet, wie er die Essstäbchen zum Mund führt, die Augen schließt beim Kauen, über die Essschale gebeugt. Wenn er sein Gesicht anhebt, schaue ich weg. Er lächelt mich an, er liebt Papaya Salat. Er genießt mein Essen. Das macht mich glücklich. Wir essen gerne zusammen. Auch wenn wir uns nichts zu sagen haben. Später kontrolliere ich seine Schulaufgaben. Wenn alles in Ordnung ist, erlaube ich ihm ein Spiel auf seinem iPhone.

Langsam wird es Abend. Wir setzen uns vor den Fernseher. Manchmal schauen wir alte Folgen von *Two and A Half Men* mit Charlie Sheen oder *The Simpsons*, weil die nur eine halbe Stunde dauern.

Vince erzählt, dass der Lehrer heute die ganze Klasse nach ihren größten Ängsten befragt habe.

Was meinst du, Dad, was war auf Platz eins?

Klimawandel, sage ich, ohne nachzudenken.

Genau, Klimawandel und Zerstörung, mit mehr als fünfzig Prozent Zustimmung.

Gibt es eigentlich noch andere Dinge, die euch beschäftigen?

Vince grinst.

Kannst du dir vorstellen, wie toll es wird, wenn wir zehn Hitzewellen pro Sommer haben?

Er lacht.

Die Aare wird dann vielleicht fünfundzwanzig Grad warm sein, aber du lebst dann längst nicht mehr, Daddy.

Er legt seinen Arm um meine Schulter. Als ob er bedauerte, was er gerade gesagt hat.

Muss ich dann ums Essen kämpfen? In Verteilungskriegen?

Er grinst mich an.

Wer erzählt dir von Verteilungskriegen?

Meine Mitschüler.

Wir schauen *Planet Erde*. Eine Horde Löwen nimmt es mit einem jungen Elefanten auf. Sie springen das Jungtier an, holen es von den Beinen, beißen sich am Hals fest. Vince mag die Stimme des *Planet Erde*-Erzählers Sir David Attenborough. Er sagt, dass seine Stimme wie Obi-Wan Kenobi klingt, der aus der Zukunft zu uns spricht, als wüsste er bereits, was uns blüht.

Bevor Vince die Zähne putzt, stellen wir uns auf den Balkon. Wir blicken Richtung Berner Oberland. Dort funkeln wie immer drei Lichter in der Bergkette: Niesen, Schilthorn und Jungfraujoch.

Kannst du es sehen?, frage ich.

Ja, dort sind Lichter im Berg. Wieso erwähnst du das immer wieder, Dad?

Die Lichter sind ein Signal.

Was für ein Signal?

Ein Signal.

Wieso?

Diese Lichter werden noch dort sein, wenn wir alle tot sind. Wie Sterne.

Wir studieren den Sternenhimmel.

Siehst du es?

Was? Man sieht ja kaum Sterne. Es ist viel zu hell auf der Erde.

Neben Venus bewegt sich ein seltsames Objekt. Es zieht Richtung Westen.

Womöglich ist es ein Satellit, sagt Vince.

Bist du sicher?

Ganz sicher.

Ich habe das Licht schon einmal beobachtet. Als wir Mamas Asche in der Wüste verstreut haben. Kannst du dich erinnern?

Nein. Kann ich nicht. Das Licht dort oben ist ein Satellit, Dad. Garantiert. Du siehst Geister.

Wir blicken noch eine Weile Richtung Hundepark. Es herrscht Stille über dem Ostring. Das konstante Rauschen der Autobahn ist das einzige Anzeichen von Leben. Vince lehnt sich viel zu weit über die Brüstung und macht Geräusche wie ein Frosch. Der Nachbar aus der Nummer 48 sitzt auf einer Bank im Hundepark und tut so, als schaue er auf sein Smartphone, macht Bilder von seiner Dogge. Seit

Wochen geht das so. Vielleicht sollte ich seinen Namen ausfindig machen.

Nach dem Zähneputzen legen wir uns ins Bett. Ich lese Vincent aus dem Buch *Lauterbrunner Sagen* vor, es ist in der Mundart der Talschaft geschrieben, mit Titeln wie *Zween Mirrner uf der Fuxlotzeten*. Es geht um den Schwarzen Mönch, dort, wo die Asche von Vincents Großvater verstreut ist. Die *Lauterbrunner Sagen* haben den *Hobbit* ersetzt. Ich halte Vincents Hand beim Vorlesen, bis er eingeschlafen ist. Dann schaue ich ihn an. Ich beobachte, wie sich sein kleiner Mund beim Atmen öffnet.

Zurück auf dem Balkon lese ich die Meldungen der Zentrale. Neue Aufträge sind für diese Nacht angekündigt.

Ich starre über die Balkonbrüstung, in Richtung Schrebergartenviertel Sonnenhof. Immer wieder sehe ich eine Gruppe Männer, die sich dort mit jugendlichen Mädchen und Jungs trifft. Dann wieder der Blick auf den Hundepark, der als Teil des Lärmschutztunnels die A6 überdeckt. Auf den Parkbänken sitzen Mütter mit ihren Kinderwagen in der Dunkelheit und rauchen. Vielleicht schreien ihre Babys nachts, und die Väter verlieren die Nerven und schicken ihre Frauen in den Park. Weiter westlich liegt das Botschaftsviertel in der Dunkelheit. Dort muss ich in drei Stunden einen Passagier abholen. Das Rauschen der Autobahn wird lauter. Regen. Bodennebel steigt auf. Mein Blick verliert sich in den Lichtern jenseits der Autobahn. Es sind Wohnzellen der Siedlung Wittigkofen, sozialer Wohnungsbau, Hochhäuser, die wie Grabstelen in der Landschaft stehen. Ich starre in den Bodennebel. Zeit totschlagen. Einfach nicht an Geister oder ihre Stimme denken.

Ich notiere die Fakten. Das lenkt ab.

1. Arbeite seit sechs Monaten als Nachtchauffeur.
2. Mein Fahrzeug ist ein Mercedes S 560 4MATIC.
3. Klienten kommen meistens aus dem nord- und westafrikanischen Raum, gehören der wirtschaftlichen oder politischen Elite an.
4. Arbeitgeber ist der Genfer Limousinenfahrdienst AT.
5. Mein Chef heißt Jean-Luc, ein Westschweizer mit iranischen Wurzeln.
6. Als ich Jean-Luc im Jahr 2001 in Los Angeles kennenlernte, arbeitete er noch als sogenannter »Fixer« – einer, der schmutzige Jobs für einflussreiche Perser erledigt.
7. Jean-Luc belieferte Nina mit marokkanischem Haschisch. Laut Nina das beste Haschisch der Welt.
8. Wir reden nicht über die Vergangenheit.
9. Jean Luc verfügt noch immer über ein intaktes Netzwerk in Los Angeles. Hat Informanten bei der Polizei.
10. Jean-Luc hält mich als Fahrer für qualifiziert, weil ich fließend Englisch spreche und mein Französisch brauchbar ist.
11. Er ist überzeugt, dass ich im Besitz einer Waffenlizenz bin, aber Jean-Luc schätzt mich falsch ein.
12. Mein Job ist einfach: Passagiere auf der schnellsten und sichersten Route von A nach B fahren. Keine Fragen stellen.
13. Unterhaltungen mit Passagieren grundsätzlich unterlassen. Außer, es wird gewünscht.
14. Meine Söhne wissen nicht, was ich nachts mache.
15. Meine Arbeitskollegen sind freundlich, aber wir gehen uns aus dem Weg. Fast alle sind Afrikaner.
16. Die meisten von ihnen wollen keine Frauen fahren. Ich soll das übernehmen. Sie machen Witze, meine Haut rieche besser.
17. Am liebsten fahre ich Pakete und Koffer.

00:15. Treffpunkt Libysche Botschaft, Tavelweg 2, Muri-Bern. Ein schlichtes dreistöckiges Gebäude im Berner Wohnviertel der Besserverdienenden. Menschenleerer Ort. Nichts rührt sich. Ich warte ab und versuche die Zeit totzuschlagen: Welche Länder gehören zu Nordafrika? Ägypten, Algerien, Libyen, Marokko, Sudan. Hauptstädte wie Khartum, Juba, Tunis, El Aaiún. Als ich die Namen Westafrikanischer Nationen im Kopf durchgehe, öffnet sich die Vordertür. Ein dunkelhäutiger Mann taucht auf, kurzgeschorene Haare, vernarbtes Gesicht mit dunklen traurigen Augen. Er trägt einen Aktenkoffer bei sich, ein silbernes und ein goldenes Abzeichen zieren sein Revers. Sofort kontrolliert er die Rücksitze, schaut sich im Fond des Wagens um. Erst dann schwingt er sich auf den Vordersitz.

Ich lächle ihn an. Er starrt geradeaus. Keine Regung.

Er spreche Französisch, behauptet die Zentrale. Aber er sagt nichts. Keine Begrüßung. Nichts. Er prüft sein iPhone. Ich fahre los. Richtung A6. Erst jetzt erkenne ich eine kleine Lederschachtel mit der Aufschrift *Pattek Philippe*, die aus seiner Jacketttasche hervorschaut.

Wir gleiten am Berner Flughafen Belpmoos vorbei. Der Libyer schaut kurz aus dem Fenster, in der Dunkelheit sind die Lichter des Towers zu erkennen, sonst nichts.

Ich schaue geradeaus. Passagiere, die im Fond Platz nehmen, sind mir lieber. Diesen kann ich zwar riechen, aber sein Gesicht nicht studieren. Er schaut kurz das Familienfoto auf dem Armaturenbrett an. Er tippt Sätze in sein iPhone. Dann starrt er wieder durch das Seitenfenster in die Dunkelheit. Ich nehme die Chance wahr und schiele kurz nach rechts. In Höhe seiner Achsel ist eine Ausbuchtung zu erkennen. Vielleicht ein Pistolenholster. Er wäre nicht der erste Passagier, der eine Waffe trägt.

Blick in den Rückspiegel. Ein Wagen fährt seit der Auffahrt »Thun

Nord« hinter mir. Plötzlich spricht mein Passagier auf Französisch in sein iPhone.

Bist du es, Tareq? Tareq? In Tripolis wird wieder geschossen. Hast du mich verstanden?

Er hält inne. Er schaut mich an, als wäre ihm gerade bewusst geworden, dass ich mithöre. Aber es scheint ihm egal zu sein. Er blickt nervös in den Rückspiegel. Dann redet er weiter, als ob ich Luft wäre.

Al-Kanis Milizen stoßen nach Norden vor …

Pause.

Keine Nachricht von Aya?

Der Mond steht jetzt direkt über dem Niesen. Die Nacht glitzert im Thunersee.

Mein Passagier hält das iPhone noch näher an seinen Mund. Ich drehe mein Gesicht weg, blicke in die Dunkelheit. Dann in den Rückspiegel.

Ob Aya noch lebt, will ich wissen … Aya!

Im Rückspiegel beobachte ich den Wagen hinter mir. Etwas stimmt nicht. Wenn ich beschleunige, bleibt er trotzdem dran. Vielleicht ist er schon seit Bern hinter uns. Ich überhole einen weißen Toyota Prius und schere zügig wieder in die rechte Fahrspur ein.

Diese Soldaten wollen ihre Familien schützen, was sonst?

Er schaut zu mir. Ich starre geradeaus. Dann aus dem Seitenfenster: blinkende Antennen auf dem Niederhorn.

Um 01:10 Uhr erreichen wir die Touristenhochburg Interlaken.

Leere Straßen. Graues Licht in der Dunkelheit. Souvenir-Shops im Scheinwerferlicht. Polizei patrouilliert. Gleich sind wir am Reiseziel: Jungfrau Victoria Hotel.

Mein Passagier mustert zum Abschied mein Gesicht, als wollte er sich etwas merken. Er steigt aus, schaut nochmals zurück. Kein Wort. Dann verschwindet er in der Lobby.

Ich melde der Zentrale meinen genauen Standort. Während ich auf eine Antwort warte, gleite ich langsam durch das Zentrum von Interlaken, den Blick gegen den Himmel gerichtet. Über Wilderswil taucht der Jungfraugipfel auf, Triumph der Alpen. Tiefer hinten im Tal kann ich den Schwarzen Mönch erkennen. Nebelbänke hängen wie Leichentücher über dem Talboden. Basejumper marschieren bereits mit geschulterten Materialtaschen Richtung Busstation.

01:15. Höhenmatte. Nahe der Lord-Byron-Residenz übergibt sich ein asiatischer Tourist am Straßenrand. Er klammert sich an ein Mädchen in Bernischem Trachtenkleid. Ich verspüre Lust auszusteigen. Den ganzen Ort säubern. Eines Tages wird ein großer Regen kommen und den touristischen Abschaum wegschwemmen. Oder ein gewaltiger Gletscherabbruch, der den Dreck von den Straßen spült.

Nachricht aus der Zentrale: Keine weiteren Aufträge.

4

Mercedes, fahr mich nach Bern, sage ich laut.

Der Bordcomputer wählt die A6. Ich entscheide mich aber für die alte Seestraße am anderen Ufer des Thunersees. Und hoffe auf weitere Bilder in meinem Kopf. Ich spüre einen Stich im Rücken, er bohrt sich bis in die Knochen. Was ist das für ein Schmerz? Ich lasse langsam den Kopf kreisen, versuche die Muskulatur zu lockern. Ich spüre das Knacken im Nacken.

Vor mir breitet sich langsam eine verbrannte Landschaft aus. Hinter einem aschfarbenen Schleier versteckt sich der Mond. Kein Auto, kein Mensch weit und breit. Bei der Ortschaft Merligen tauchen Baumstümpfe am Straßenrand auf, geschwärzte Strommasten. Merkwürdige Gestalten winken mir zu, versuchen, meinen Wagen zu stoppen. Ich fahre vorbei.

Ich erkenne die Umrisse eines abgebrannten Hauses auf einer Lichtung, öde und grau. Daneben ein verlassener Spielplatz. Als ich vorfahre, sehe ich eine junge Frau mit halb verschleiertem Gesicht, nordafrikanische Züge, Haarsträhnen fallen ihr in die Stirn. Sie sitzt allein auf einer Holzbank und schleckt den Deckel einer Konservendose ab. Wie eine Katze. Als sie meinen Wagen sieht, lässt sie die Dose fallen und läuft mir entgegen. Ich halte an und steige aus. Sie steht vor mir, wir schauen uns an. Sie lächelt, als würden wir ein altes Ritual begehen. Dann nimmt sie meine Hand und zieht mich zum

Uferweg. Bis zu dem blinkenden Neonschriftzug eines halb verfalle-
nen Motels.

Die Frau zittert. Sie hält sich jetzt an meinem Arm fest. Ihre Augen sind ausgehöhlt. Wir stehen einfach nur da. Sie öffnet ihre Hand.
Darin eine rote Pille. Sie steckt sie mir unter die Zunge. Dann lehnen
wir uns an einen verkohlten Baum. Wir umarmen uns. Ihr Körper
fühlt sich knochig an, ausgehungert. Ich streiche ihr den Schleier
vom Kopf, ihr langes Haar kommt zum Vorschein. Sie dreht ihr Gesicht zu mir. Grüne Augen. Ihre Arme umschlingen meinen Körper.
Sie küsst mich ganz sanft. Ich küsse ihre Augen. Wir halten unsere
Hände, ganz fest, lauschen den bellenden Hunden. So verharren wir
im Dunkel, bis wir keine Geräusche mehr hören. Es geht ein leichter
Wind.

Ich weiß nicht mehr, wie lange wir so stehen.

Bald wird die Sonne aufgehen, sage ich. Ich muss zurück zu meinem Sohn. Die Zeit wird knapp.

Ich blicke auf den eisengrauen Wald vor dem See. Sie löst sich von
meinem Körper und hebt ein großes Ahornblatt vom Boden auf. Sie
zerreibt es, lässt das Pulver durch die Finger rieseln, während sie sich
langsam, mit kleinen Schritten, rückwärts von mir entfernt.

Dein Licht kommt mir so echt vor, sagt sie. Dein Licht. Dein Stern
funkelt wunderschön.

05:34. Steinschlag. Oberhalb des Steintrümmerfeldes löst sich nasser
Fels, poltert in die Tiefe. Ich muss zu Vincent. A6 Richtung Bern.
Meine Handschuhe gleiten über das Lenkrad. Hinter mir ein Wagen
mit Fernlicht. Es ist mir egal. Straßenlärm holt mich in die Wirklich-
keit zurück. Morgenverkehr nahe der Autobahnauffahrt Kiesen. Die
Druckluftbremsen großer Lastwagen. Abgase.

Eine halbe Stunde später Ankunft am Ostring. Dämmerung. Zu Hause hänge ich meinen alten Helmut-Lang-Anzug in den Kleiderschrank, die schwarze Krawatte, das weiße Hemd, dann die schwarzen Doc-Martens-Halbschuhe putzen und deponieren. Duschen.

Ich lege mich zu Vincent, küsse sein Gesicht. Alles dreht sich. Ich bin in einem Netz gefangen. Gewoben von seiner Mutter. Ich schließe die Augen, meine Hand umklammert seine. Ich muss Vincent beschützen.

Als ich erwache, spüre ich zwei Steine und einen stacheligen Zweig auf meiner Stirn. Vince muss die Dinge aus Ninas Wüstensammlung genommen und sich einen Spaß erlaubt haben, während ich eingeschlafen bin.

Hast du die Steine gespürt?

Nein.

Die Kraft?

Was für eine Kraft?

Die Kraft der Steine. Mama hat sie gesammelt.

Frisch geduscht sitzen wir am Küchentisch. Über Facetime erscheint Franks Gesicht in Los Angeles. Vincent beißt in sein Croissant. Ich mustere die blauen Augen seines älteren Bruders. Es sind glasklare Augen. Achtzehn Jahre alt. Als sie mich treffen, fühlt es sich an, als würde mich ein überirdisches Wesen verführen. Ich erkenne dunkle Schatten unter seinen Augen. Müde Augen. Ich berühre Vincents Hand, halte ihn fest, während ich die blauen Augen seines älteren Bruders studiere.

Frank lächelt mich an. Er starrt unbeweglich in die Kamera. Er will keine falsche Bewegung machen. So sieht es aus. Ich berühre den Bildschirm, betrachte sein blondes, lockiges Haar, die vollen Lippen, seinen Gesichtsausdruck – wie ein Detektiv, der Spuren sichert. Es gibt scheinbar keine Probleme mit ihm. Er ist am Santa-Monica-College eingeschrieben, studiert. Sagt er. Er bezahlt seine Miete pünktlich. Er geht vernünftig mit Geld um. Sagt er. Aber er könnte mich anlügen. Ich würde es nicht merken. Er ist mit schwarzen Mädchen aus Inglewood befreundet. Und hängt mit Jungs aus El Salvador herum, deren Eltern illegal in die USA eingewandert sind. Äußerlich scheint alles normal.

Ich schaue Frank konzentriert beim Sprechen zu. Keine Anzeichen in seinem Gesicht, die mich beunruhigen könnten.

Irgendwann sage ich:

Wir haben gerade entschieden, dass dich dein Bruder besuchen kommt.

Vince schaut mich überrascht an.

Er kommt Ende des Monats, sage ich. Was sagst du dazu, Frank? Kannst du dir das vorstellen?

Wow, so bald?

Er versucht, sich zu beherrschen. Wie bei einem Schulvortrag. Hinter ihm erkenne ich die Fensterfront mit freiem Blick auf Downtown Los Angeles. Das künstliche Licht hat dort die Nacht zum Tag gemacht.

Klar, sagt er. Er soll kommen.

Er scheint nicht begeistert.

Ich will ins Universal-Studio, sagt Vincent.

Frank schweigt.

Ich betrachte die Lichter von Downtown hinter seinem Kopf.

Frank, sage ich streng und wechsle vom Englischen ins Deutsche. Weißt du eigentlich, dass die Lichtmenge, die Los Angeles jede Nacht ausstrahlt, sich alle elf Jahre verdoppelt?

Er schaut mich irritiert an, schüttelt verunsichert den Kopf. Was soll das, Dad?

Zwei Drittel der Amerikaner erleben gar keine echte Nacht mehr. Ihnen ist die Dunkelheit abhandengekommen.

Na und? Frank schüttelt den Kopf.

Ich versuche, ein tiefes Gespräch aufzubauen.

Er nickt mir zu und lächelt.

Hast du gewusst, dass die Überbelichtung in der Nacht den natürlichen Rhythmus von Organismen stört?

Hat er nicht gewusst.

Die Lichtverschmutzung macht die Menschen krank.

Er nickt und stimmt mir zu. Er weiß nicht, dass ich in der Schweiz das Tageslicht scheue. Er klingt mechanisch, pflichtschuldig. Vielleicht fürchtet er sich vor mir. Er weiß, dass ich nach Signalen in seinem Gesicht fahnde. Aber sein Abwehrschirm ist perfektioniert. Vielleicht hat er das von mir gelernt. Als Kind habe ich versucht, mir eine psychische Unsichtbarkeit zuzulegen, die mich vor der Wirklichkeit schützt. Das hatte wohl was mit dem frühen Tod meines Vaters zu tun. Ich war elf Jahre alt. Seither kann ich Erinnerungen löschen, die mich quälen könnten. Aber oft tauchen sie in anderer Form wieder auf.

Vincent will jetzt allein mit seinem Bruder reden. Er zieht sich mit dem Computer auf die Toilette zurück. Ich winke dem Bildschirm nach, kann erkennen, wie hinter Frank ein Hubschrauber mit eingeschalteter Nachtsonne über Downtown rotiert. Ich höre noch, wie Frank seinen Bruder fragt, was mit mir los sei. Ob er in die Schweiz kommen müsse.

Nein, sagt Vince. Alles okay.

Ich stelle das Geschirr in die Spülmaschine. Ich betrachte meine Autohandschuhe aus schwarzem Leder, die auf der Fensterbank liegen. An den Spitzen erkenne ich eingetrocknete Erde. Ich putze alles ab.

Vince verlässt die Wohnung. Er macht sich auf den Schulweg, während ich mich ins Bett lege. Heute ist ein besonderer Tag. Termin mit seiner Lehrerin, Frau Hürzeler. Wettervorhersage: *sonnig, bis zu dreißig Grad.* In einer Woche jährt sich Ninas Todestag. Also schließe ich nochmals meine Augen, lege das Kissen auf mein Gesicht. Sie wird gleich auftauchen.

Sie lächelt. Frank ist vier Stunden alt. Wir sitzen im Wagen und fahren die Western Avenue Richtung Süden. Ich schaue in den Rückspiegel. Sie sitzt im Fond und hält den eingewickelten Frank in den Armen. Seine Augen sind aufgerissen. Er schaut seine Mutter an. Von mir weiß er noch nichts. Ich will eine Zigarette rauchen. Aber es gibt keine. Sie starrt mich im Rückspiegel an. Ich biege in die South Serrano Avenue. Unser Zuhause. Ich starre auf die Zeltstädte der Obdachlosen, die sich bis zur Einfahrt der Tiefgarage erstrecken. Dahinter operiert eine Filmcrew und versperrt die Straße. Ich drücke die Fernbedienung, schaue zu, wie sich das Garagentor langsam öffnet, und fahre hinein. Flackerndes Neonlicht.

Irgendwann kann ich mich vom Neonlicht lösen. Als ich die Uhrzeit auf meinem iPhone kontrolliere, steht dort: 12:00. So heiß und hellgrau war es in Bern im September noch nie. Ich muss aufstehen, mich anziehen. Meistens trage ich den AT-Fahreranzug, zu Hause einen Trainingsanzug. Draußen werde ich mir eine breitrandige Sonnenbrille aufsetzen, wie die Rentner in Palm Springs.

In der Küche entdecke ich einen Notizzettel, Vince hat mir eine Botschaft geschrieben. Ich soll ihn von der Schule abholen. Er will Basketball spielen und mir helfen, meine Wurftechnik zu verbessern. Er will mir helfen. Ich habe ihn noch nie von der Schule abgeholt. Heute ist eine gute Gelegenheit.

Ich verlasse die Wohnung und laufe über den grauen Parkplatz. Der Nachbar aus Nummer 48 steht am Küchenfenster. Der Vorhang bewegt sich.

Ich steige in die schwarze Limousine und gleite über Nebenstraßen zu Vincents Schule. Es ist hell. Ich versuche, mein Blickfeld einzuengen. Aber es hilft nichts. Ein Schweizer Schulgelände taucht auf, umzäunt von glänzendem Maschendraht. Auf dem Weg zum Sekretariat erkenne ich jeden kleinen Riss im Zementboden, jede Unebenheit. Es ist mein erster Besuch in der Manuel-Schule. Der Himmel über Muri ist eisengrau.

Im Sekretariat treffe ich auf die junge Lehrerin, Frau Hürzeler. Sie trägt ein buntes Retro-Hippie-Kleid und schaut mich besorgt an. Bestimmt ist es wegen meiner Sonnenbrille. Ich erkläre Frau Hürzeler, dass Vincent heute zum Zahnarzt muss. Sie nickt, runzelt die Stirn. Ich unterschreibe einen Abwesenheitsschein. Dann führt sie mich in ein kleines, grell erleuchtetes Sitzungszimmer. Sie möchte mir von Vincents Verhalten erzählen. Ganz vertraulich. Alles bleibe zwischen uns, sagt Frau Hürzeler, als ob sie gleich eine Schatztruhe öffnen würde. Erst jetzt bemerke ich ihre Special-Edition-Vans, mit den roten und orangefarbenen Flammen. Sie holt tief Luft und schaut mich eindringlich an.

Wie geht's denn so mit Vincent, Herr Kummer?

Alles okay. Er hat viele Freunde. Wir sind zufrieden.

Schön. So ein Wechsel ist nicht leicht. Los Angeles ist ja nicht Bern.

Kann man so sagen. Aber wissen Sie, die menschlichen Probleme sind überall die gleichen. Und die Träume ebenfalls.

Sehen Sie keine Unterschiede zwischen den Schulen in Los Angeles und unserer?

Nicht wirklich. Auch hier sind die Eltern ehrgeizig, und wenn sie es nicht ins Gymnasium schaffen, sind die Kinder bereits gescheitert.

Wir kennen das Problem, Herr Kummer.

Dann ist ja gut. Was gibt es sonst?

Frau Hürzeler schaut mich nun ernst an.

Haben Sie schon mal von Sternenkindern gehört?

Ihr Gesicht erstarrt in totaler Bewegungslosigkeit, als sie mir mit dieser Frage *die* Entdeckung offenbart.

Sie beugt sich vor, und ihre Stimme ist jetzt so leise, dass ich auf ihre Lippen achte, um sie besser zu verstehen.

Vincent, Ihr Vince, wie soll ich sagen, er ist ausgestattet mit einer großen Weisheit.

Sie lächelt aufgeregt.

Er ist ein besonderes Kind.

Sie lächelt nervös.

Er hatte doch immer Probleme in Deutsch und Französisch, sage ich.

Das ist nicht der Punkt, Herr Kummer.

Ich reibe meine Augen unter der Sonnenbrille.

Ihr Sohn wirkt wie eine *old soul*, so sagt man doch in Amerika.

Old soul?

Er besitzt ein seltsames Wissen. Es geht offenbar um seine Identität. Er hat im letzten Aufsatz seine Herkunft beschrieben. Ich habe den Text zurückgehalten. Er schreibt darin von einer Präexistenz auf anderen Planeten. Er beschreibt seine Reinkarnationsvorstellungen und besondere Nähe zu Tieren und zur Natur. Der Tonfall ist aber nicht allzu ernst. Eher selbstironisch. Was selten vorkommt in diesem Alter.

Meine Augen beginnen zu tränen.

Verhält sich Vince schlecht gegenüber anderen Mitschülern?

Frau Hürzeler dreht sich weg von ihrem Schreibtisch Richtung Fenster.

Überhaupt nicht. Er fühlt sich überlegen. Er sieht sich als Anführer. Als Aktivist. Er hilft den schwächeren Mitschülern. Er will alle mobilisieren.

Aktivist? Aktivist für was?

Frau Hürzeler schaut abwesend durch das Fenster, als wolle sie ihre Empfindungen nicht von meiner Erscheinung beeinflussen lassen. Darum will ich ihr zuvorkommen.

Das sind doch alles gute Eigenschaften, sage ich.

Darum geht es nicht, Herr Kummer.

Frau Hürzeler dreht sich um und tut so, als würde ich die Bedeutung des Momentes verkennen.

Es gibt noch einen zweiten Aufsatz.

Sie schaut mich eindringlich an.

In diesem zweiten Aufsatz verkehrt sich alles in eine völlig entgegengesetzte Richtung, Herr Kummer. Vince beschreibt sich darin als *end time child*.

End time child?

Ich spüre ein Knacken im Hirn, als zerplatze eine winzige Glühbirne.

Ja. *End time child*. Ich weiß nicht, wie ich es anders erklären soll.

Ich wäre froh, wenn Sie es versuchen würden.

Wie soll ich sagen, er sieht sich vielleicht als Antagonist des Sternenkinds. Und erklärt es damit, dass seine Mutter gestorben ist, dass er jetzt ohne Mutter aufwächst. Er beschreibt den Amoklauf in der Columbine Highschool und die Überführung der Opfer in ein Reich der Toten.

Ich starre die Lehrerin an und schüttle den Kopf.

Was soll das, Frau Hürzeler? Das ist doch völliger Irrsinn. Sie erzählen mir da von einem Kind, das ich überhaupt nicht erkenne. Vince ist ein sehr witziges, aufgewecktes Kind, müssen sie wissen. Er scheint den Tod seiner Mutter recht gut überstanden zu haben. Besser als ich.

Mein Blick bleibt an ihren Special-Edition-Vans hängen. Ich bewege mich Richtung Tür.

Mir wäre es wirklich lieber, wenn wir ein andermal über solche Dinge sprechen.

Frau Hürzeler steht am Fenster, blickt wieder in den Himmel über Bern.

Ich lege meine Hand auf die Türklinke. Frau Hürzeler dreht sich zu mir.

Falls Sie mehr über Vince wissen möchten, Herr Kummer, dann können wir uns gerne wieder treffen. Aber besser außerhalb der Schulzeiten, Sie verstehen.

Meine Augenlider sind geschwollen. Ich schiebe die Zeigefinger unter die Sonnenbrille und drücke gleichzeitig auf beide Augen. Meine Tränen brennen wie Stichflammen, die durch den ganzen Körper fahren. Ich höre ein fernes Rauschen von oben. Dann die Stimme von Vince. Erkenne seine Umrisse. Das Rauschen verwandelt sich zu einem lauten Zischen. Lege meinen Kopf in den Nacken, erkenne zwei schwarze Löcher am Himmel. Dann ein krachendes Geräusch, als stürze ein Krater in sich zusammen. F/A-18-Kampfjets jagen jetzt donnernd Richtung Berner Alpen. Es sind Trainingsflüge, direkt über der Hauptstadt, was immer häufiger vorkommt. Vielleicht um Wehrhaftigkeit zu demonstrieren. Aber braucht ein Land wie die Schweiz überhaupt eine Luftwaffe?

Vince rennt jetzt über den tristen Schulhof auf mich zu. Er trägt das Skateboard unter dem Arm, blickt dem Jet nach. Er umarmt mich. Ich küsse seine Wangen. Wir überqueren einen Parkplatz. Vincent zieht seine Kopfhörer von den Ohren und lässt sie um den Hals hängen. Er steigt jetzt in den 560er. Zum ersten Mal. Sofort untersucht er die Ausstattung. Er bedient das iPad an der Mittelkonsole, verbindet sein Gerät und wandert durch die interaktive Betriebsanleitung. Er übernimmt die Kontrolle.

Dad, kann man den Wagen über Sprache steuern?

Ja, einfach ins Lenkrad sprechen. Nennt sich MBUX, alles funktioniert wie ein modernes Smartphone.

Mercedes, fahr uns zum Casinoplatz!

Krank.

Siehst du das grün fluoreszierende Licht auf der Frontscheibe?

Ja.

Gehört zum Display. Du kannst das iPad auf die Scheibe projizieren.

Dad, dieser Wagen ist total krank!

Vince, Sicherheitsgurt!

Ich rieche seinen Schweiß, ich fahre mit meiner freien Hand über sein Haar. Vince zieht seinen Kopf weg. Er studiert das Widescreen-Cockpit und das kabellose Ladesystem für Smartphones. Er schaut auf das Foto mit Nina auf der rechten Seite.

Ist das Cockpit volldigital, Dad?

Ja.

Kann man die Optik auswählen?

Ja, drei verschiedene Stile.

Holy shit!

Und das Foto von uns, klebt das immer in deinem Wagen?

Ja, Vince, immer.

Wieso?

Tut mir gut.

Ich steuere den Wagen vom Botschaftsviertel Richtung Helvetiaplatz, dann über die Kirchenfeldbrücke. Vincents Haut wirkt wächsern im Licht, fast durchscheinend. Ich deute mit der Hand auf das Berner Münster. Vor uns breitet sich die Altstadt aus, eine barocke Gesamtanlage hoch über der Aare, die sich seit Jahrhunderten nicht verändert hat, die Touristenmassen anzieht und die Liste des Unesco-Weltkulturerbes ziert. Bevor ich Fahrer geworden bin, habe ich mich für einen Job als Berner Stadtführer beworben. Ich kenne viele Fakten über Bern, auch solche, die ich für mich behalten sollte.

Zum Beispiel, dass sich von keiner anderen Brücke so viele Menschen in die Tiefe stürzen. Vince dreht sich um, schaut zurück über die Kirchenfeldbrücke. Vor der verkehrsberuhigten Altstadt schlängle ich den Wagen zwischen zwei Straßenbahnen hindurch, ernte ein Warnsignal von Tram Nummer 7, und fahre dann hinunter in die Tiefgarage am Casinoplatz. An der unterirdischen Tankstelle hupe ich zweimal.

Muss gewaschen werden, sage ich unserem tamilischen Mitarbeiter, der für die Pflege der Dienstwagen zuständig ist.

Im Büro sehe ich Jean-Luc, meinen Boss. Er telefoniert gerade. Als er mich erkennt, winkt er mich zu sich. Als ich das Büro betrete, unterbricht er das Gespräch. Er drückt sein iPhone gegen den Oberschenkel. Ob ich morgen tagsüber Zeit hätte. Der Libyer in Interlaken brauche einen Fahrer und Begleitung nach Mürren.

Vince gleitet auf seinem Skateboard durch die Tiefgarage.

Mürren ist autofrei, sage ich.

Es gibt bestimmt Ausnahmegenehmigungen für Botschaftsangehörige.

Ich schüttle den Kopf. Das glaube ich nicht.

Okay, dann fährst du ins Tal, bis die Straße aufhört, und nimmst die Bahn nach Mürren, *whatever*, Tom. Er zahlt gut. Sein Name ist

Oberst Khaled Muhammad Kaiba. Er und seine Familie brauchen Begleitschutz, inoffiziell, wenn du weißt, was ich meine. Und bitte stell jetzt keine Fragen.

Personenschutz ist nicht mein Ding. Im Tageslicht bin ich nicht zu gebrauchen. Das weißt du doch.

Jean-Luc streicht sich nervös eine Haarsträhne aus dem bleichen Gesicht. Er hat noch mehr Gewicht verloren.

Seine hohlen Augen sind gerötet, er trägt einen schwarzen Anzug, weißes Hemd, Lederboots. Er erinnert mich an die Bestatter in Los Angeles, damals, am 22. September 2014. Jean-Luc hat mir das Bestattungsunternehmen vermittelt. Es kommen zwei Salvadorianer. Sie tragen den schwarzen Sack mit Ninas Leiche über die sechste Etage zum Lift, und von dort ins Erdgeschoss. Der Hausmanager öffnet die Lifttür. Es soll alles ganz schnell gehen, damit die anderen Mieter nichts mitbekommen.

Wie ist die Wettervorhersage?, frage ich.

Bewölkt. Dein Wetter.

Ich glaube ihm nicht.

Ist das Vince da draußen auf dem Skateboard?

Ja.

Der Junge ist gewachsen. Wieso bringst du ihn nicht hier rein?

Lassen wir das.

Und was ist mit Frank?

Hat sich drei Tage nicht mehr gemeldet.

Und? Das macht dich nervös?

Nicht wirklich.

Würde mich aber nicht verwundern, bei einem Siebzehnjährigen, den der Vater alleine in Los Angeles zurücklässt …

Frank ist achtzehn, Jean-Luc. Achtzehn!

Vincent und ich nehmen den Aufzug an die Berner Oberfläche.

Er gleitet an mittelalterlichen Ausgrabungen vorbei nach oben. Bestimmt findet man hier noch Hunderte von Skeletten. Ganz in der Nähe lag der Friedhof eines alten Franziskanerklosters.

Interessiert Vince nicht.

Dad, war das Jean-Luc? Ist er in der Schweiz dein Chef?

Nein, ein Kollege.

Frank hat mir erzählt, dass seine Leute bei ihm vorbeischauen. Hast du das bestimmt?

Nicht wirklich. Vergiss es einfach.

Ich laufe eilig durch die Lauben an der Münstergasse. Vincent gleitet auf seinem Skateboard hinterher. Ich senke den Blick. Die Berner Altstadt wird von hellen Sandsteingebäuden dominiert und erstreckt sich über eine Länge von gut sechs Kilometern. Die längste überdachte Einkaufspromenade Europas. Als Kind erschien sie mir wie ein gespenstisches Labyrinth aus antiken Ruinen. Ich begleitete meine Mutter regelmäßig auf ihren langen Einkaufstouren. Die Ladenbesitzer kannten ihren Namen und begrüßten Frau Kummer mit Handschlag. Viele der Geschäfte gibt es heute noch.

Ich bleibe vor einem italienischen Feinkostladen stehen, *Ferrari*. Da hat Mutter immer Parmaschinken eingekauft, Antipasti, Oliven, frische Pasta, frisches Pesto. Herrliche Zeiten.

Sieht lecker aus, sagt Vince. Ich mag Parmaschinken.

Ist heute unbezahlbar. Vergiss es, Vince. Die Einkaufstouren mit deiner Großmutter waren wie Prozessionen, stadtauf, stadtab. Sie ging immer in ihren besten Kleidern, und mich hat sie auch herausgeputzt.

Vincent hat das Skateboard unter den Arm genommen. Er hält jetzt meine Hand.

Wieso sehen wir Grandma so selten?

Das ist eine lange Geschichte.

Magst du sie nicht mehr?

Nein, das ist es nicht.

Was dann? Hat Mama eigentlich Grandma gerne gehabt?

Das weißt du doch, sie verstanden sich nicht so gut.

Wieso?

Weißt du, manchmal versteht man sich mit seinen Nächsten einfach nicht. Als Teenager wurde es auch für mich schwierig mit deiner Grandma. Sie hat immer gewusst, auf welche Knöpfe sie drücken muss, um mich die Wand hochzutreiben. Irgendwann musste ich weg.

Vince lacht.

Wir weichen in eine enge Seitengasse aus. Dort laufen uns junge Eltern entgegen, mit zwei Kindern, deren Hüften in orthopädischen Gestellen stecken. Vince starrt die Kinder an. Sie lächeln zurück.

Warum nimmst du Grandmas Anrufe nicht an? Warum antwortest du nicht auf ihre Whatsapps?

Weiß nicht.

Das macht sie bestimmt traurig. Sie liebt dich doch immer noch, oder?

Ich bleibe stehen. Schaue Vince an. Wieso interessiert ihn plötzlich mein Verhältnis zu Grandma?

Mutterliebe hört nie auf, Vince. Mutterliebe ist das tiefste Gefühl der Natur.

Wirklich? Und wieso tust du das Grandma dann an? Sie ist sicher enttäuscht, dass wir uns nie melden.

Denk nicht darüber nach.

Du bist doch auch traurig, wenn du nichts von Frank hörst.

Klar.

Vince blickt zu mir hoch.

Ist Mutterliebe wirklich das Gleiche wie Vaterliebe?

Weißt du noch, Vince, was ich getan habe, als dich ein Jagdhund in Mürren angesprungen und sich in deinen Arm verbissen hat? Du warst damals vier Jahre alt. Weißt du es noch?

Dad, nicht schon wieder diese Geschichte. Du hast den Dackel erwürgt. Mit bloßen Händen. Ich kann das nicht mehr hören.

Ich will dir nur noch mal erklären, was Mutterliebe und Vaterliebe sind.

Was denn?

Ein Trick der Natur, der uns dazu bringt, alles für unser Kind zu tun. Alles! Weißt du eigentlich, dass Mama und ich dir etwa fünftausend Mal die Windeln gewechselt haben?

Das hast du wirklich nachgezählt?

Nein, aber es gibt diesen statistischen Durchschnittswert.

Also ist Vaterliebe das Gleiche wie Mutterliebe?

Bestimmt. Ich habe deine Windeln oft gewechselt. Vielleicht öfter als Mama.

Und, dafür muss ich dankbar sein?

Nein. Es bedeutet bloß, dass man für Kinder Dinge tut, die man für niemand anderen tut. Es bedeutet Aufopferung.

Aufopferung?

Ja.

Merk dir einfach eine Sache, die hat mir schon meine Mutter versucht zu erklären. Und ich habe sie damals nicht verstanden. Aber sie stimmt. Mutterliebe ist eine Schlüsselerfindung der Natur, aus der sich alle anderen Formen der Liebe entwickeln.

Echt?

Ja. Daran glaube ich.

Wir erreichen die Konditorei Tschirren an der Kramgasse. Vince schaut mich verwundert an, als würde er nicht verstehen, wieso ich ausgerechnet vor einem Schaufenster mit ausgestellten Trüffeln diesen ernsten Ton anschlage.

Dad. Ich habe von Vätern und Müttern gelesen, die ihre Kinder töten. Nicht alle Eltern sind lieb.

Das kommt vor, stimmt.

Wie war das mit Grandma, als du ein Kind warst?

Ich hatte höllischen Respekt vor ihr. Sogar Angst. Sie hat mich manchmal in eine Putzkammer gesperrt. Und an den Haaren gerissen.

Vince lacht.

Du lügst mich an, Dad. Das kann nicht sein. Sicher nicht Grandma.

Doch. Sie war sehr streng als junge Mutter. Draußen sprühte sie vor Charme, da war sie anders. Besonders, wenn sie in ihren eleganten Kleidern unter die Leute ging. Sie sah fantastisch aus, war immer großzügig, hier ein Trinkgeld, da ein Trinkgeld.

Das ist wie Bestechung, Dad.

Nein, es war wie ein Wunder. Für mich gab es immer was zu genießen. Ich wurde immer begrüßt und getätschelt. Die Leute haben mir ständig über die Haare gestrichen und gefragt, woher ich meine Locken hätte. *Negerlocken* sagten sie. Konnten nicht genug bekommen vom Negerlockenstreicheln.

Negerlocken?

Ja.

Und wann ist Granddad gestorben?

Grandma war erst vierunddreißig Jahre. Und schon Witwe, mit zwei Stieftöchtern und einem zwölfjährigen Sohn mit Negerlocken.

Wir lachen.

Grandma hat auch solche Locken.

Aber viel feiner als meine. Meine Locken gleichen eher Rastalocken, so wie deine Locken oder Franks.

Ich lass meine Haare schneiden, Dad. Du hast doch nichts dagegen?

Vince reißt sich jetzt von meiner Hand los, springt auf sein Board,
verschwindet in einem engen Durchgang, der zur Kramgasse führt.
Vor der Zahnarztpraxis Eggenschwiler verabschiede ich Vince. Ich
drücke seinen Kopf an meine Brust.

Wir sehen uns später, okay?

Wieso begleitest du mich nicht?

Muss was erledigen. Warte hier, bis ich dich abhole. Sprich mit
niemanden!

Vince schüttelt den Kopf.

Ich überlege mir den schnellsten Weg aus dem Altstadt-Labyrinth.
Bloß weg. Eine Gruppe Mütter mit Kinderwagen steuert auf mich zu.
Sie starren mich an. Sie durchlöchern mich mit ihren Blicken, als ob
sie einen Schuldigen gefunden hätten. Finde eine Seitengasse, einen
Fluchtweg. Im Schatten der Rathausgasse gelange ich zum Korn-
hausplatz. Dort steht ein großer Brunnen. Mein Körper ist überhitzt.
Klatsche Wasser in mein Gesicht, stütze mich am Brunnenrand ab,
betrachte den Wasserstrahl.

Ist Mutterliebe wirklich das Gleiche wie Vaterliebe? Hat die Liebe
zwischen Mutter und Kind schon vor der romantischen Liebe existiert?

Wasser fließt aus dem Rohr in den Brunnentrog, wie eine Wasser-
uhr. Chinesische Touristen umringen den Brunnen, machen Fotos,
auch von mir, dem Einheimischen. Das Plätschern im Trog klingt
jetzt, als würde es meine letzten Stunden anzählen. Ein Countdown.
Die Brunnenfigur ist eine Kinderschreckfigur auf einer Säule, ein

Oger. Der Oger auf dem Brunnen verschlingt gerade ein nacktes Kind. In einem umgehängten Sack befinden sich weitere Kinder. Der Kinderfresser trägt einen spitzen Hut mit eingerollter Krempe.

Am Abend sind wir zu Hause.

Noch zweimal schlafen, Vince.

Was dann?

Dann fliegst du nach Kalifornien.

Er stochert im Essen.

Freust du dich?

Weiß nicht. Wieso schickst du mich zu Frank?

Ferien für dich. Ferien für mich. Manchmal tut eine kurze Trennung gut. Du wirst dich danach noch mehr auf dein neues Zuhause freuen.

Glaube ich nicht. Ich bin gerne bei dir.

Ich bin auch gerne mit dir. Aber du weißt doch, dein Dad hat momentan sehr viel zu tun. Den ganzen Tag am Schreibtisch. Keine Zeit und kein Geld, um in die Ferien zu fahren. Das ist unsere Realität.

An was schreibst du?

Lange Geschichte.

Verdienst du damit Geld?

Noch nicht. Aber bald.

Wieso bist du in der Nacht nicht zu Hause?

Bin ich doch.

Nein, bist du nicht. Ich war letzte Nacht bei dir im Zimmer. Das Bett war leer.

Ich habe eine Freundin besucht.

Eine Freundin?

Eine Freundin, bei der ich auch mal eine Stunde länger bleibe.

Ach echt, seit wann?

Ist nichts Ernsthaftes. Vergiss es einfach wieder, ich schau schon nach dir. Iss fertig und räum die Teller ab. Und dann putz dir die Zähne, und ich erzähl dir noch eine Geschichte.

Bleibst du diese Nacht bei mir?

Ja.

Ich gehe auf den Balkon, blicke über die Nachbarschaft. Dunkelheit senkt sich auf die Kasthoferstraße herab. Kein Wind. Totenstille. Im Hundepark patrouilliert der Nachbar aus der 48.

5

Später Vormittag. Noch sind wir im Schatten, trotzdem brennt das Tageslicht auf meinen Augenlidern. Ich spüre einen Juckreiz am Hals, erkenne Rötungen auf dem rechten Handrücken. Vor mir liegt jene Schweiz, die ich als Kind am liebsten hatte. Die Mürrenfluh. Ein Dorf auf einer Felskrone. Auf der Südseite thront der Schwarzmönch, dort, wo die Asche meines Vaters verstreut ist.

Ich stehe mit meinem libyschen Klienten, Oberst Khaled Muhammad Kaiba, in der Kabine der Schilthornbahn. Neben ihm sind seine halb verschleierte Frau Ranai und die beiden Töchter. Sie tragen lange Wintermäntel, als ob sie in Mürren Schnee erwarteten. Der Oberst trägt Pilotenjacke, bayerische Lederhosen mit langen Kniestrümpfen und Schweizer Wanderschuhe. An seiner Hüfte baumelt ein Etui, in dem zwei iPhones und ein Sackmesser stecken. Um seinen Hals hängt ein Zeiss-Fernglas. Die ältere Tochter, die mir als Reem vorgestellt wurde, schultert einen kleinen Rucksack, aus dem der Kopf eines Chihuahuas hervorragt.

Als die Kabine abhebt, winselt der Minihund. Wir schweben nach oben. Kein Regen oder Nebel in Sicht, wie es Jean-Luc angekündigt hat. Wieso habe ich meinem Boss geglaubt?

Unter uns wird die Talstation Stechelberg immer kleiner. Die Morgensonne schiebt sich hinter die Ostflanke des Eigers. Wir stehen gedrängt in der Kabine, neben mir zwei junge Amerikaner mit identischen Baseballmützen, auf denen das Emblem der *Los Angeles Dodgers* prangt. Sie schießen Fotos der Weißen Lütschine, einem Fluss, der durchs Lauterbrunnental rauscht und in *Der Herr der Ringe* »Lautwasser« heißt.

Der Oberst starrt auf den Schwarzen Mönch. Er hat bisher kein Wort mit mir gesprochen. Seine Augen sind entzündet und haben einen kränklichen Schimmer. Er schaut durch sein Fernglas, sucht etwas, richtet seinen Blick auf den senkrechten Felsabsturz, fünfhundert Meter Fels: die Mürrenfluh. Aber nach was sucht er wirklich? Seine Schulter drückt jetzt gegen meine Schulter. Tochter Fatima klammert sich an sein Hosenbein. Als er sein Fernglas senkt, wirken seine Augen noch geröteter. Als ob er gerade eine verstörende neue Welt entdeckt hätte. Eine Welt, die nach dreihundert Jahren naturwissenschaftlicher Forschung noch immer voller Mysterien ist.

Kurz vor der Station Gimmelwald spricht er mich zum ersten Mal an. Er fragt auf Französisch:

Sie wissen sicher, wo diese legendäre Absprungstelle der Basejumper zu finden ist.

Ich starre ihn an, bin nervös, als ob meine Antwort den Verlauf des Tages entscheidend beeinflussen könnte. Vielleicht sogar mein Leben.

Sie haben doch bestimmt davon gehört: *high ultimate.*

Die Luft wird dünner. Sonnenstrahlen schießen Löcher in meine Pupillen. Was weiß der libysche Oberst von *high ultimate?*

Wir erreichen Gimmelwald. Kabinenwechsel. Gedränge. Ich blicke Richtung Schwarzmönch, erkenne in der Unschärfe den felsgewordenen Geistlichen mit seinem Mantel und Gehstock. Dahinter ein geheimnisvoller Glanz, den vermutlich das Silberhorn ausstrahlt, jene Eisspitze die in *Herr der Ringe* als »Silberzinne Celebdil« beschrieben wird.

Mein Vater hat als junger Mann sämtliche Felsabstürze am Fuß der Jungfrau bestiegen, der Gipfel selbst hat ihn nicht interessiert. Er hat mir vom freien Spiel der Winde, von Licht und Schatten erzählt. Und wie ihn das bewältigte Risiko mit neuen Kräften versorgt habe. Der Schwarzmönch verbinde ihn mit etwas, das größer sei als er selbst. Mein Vater war überzeugt, Erdmeridiane und Kraftorte zu spüren und ihre Störungen erkennen zu können. Vielleicht hielt er sich für einen Auserwählten. Ein schwarzer Mönch. Und wir haben ihn zu Hause ausgelacht, wenn er beim Abendessen davon schwärmte.

Hier irgendwo muss es sein, sagt der Libyer. Er studiert den Abgrund über dem Tal. Seine Frau tippt in ihr iPhone. Sie trägt Nike Jordans und ist vermummt in ihren langen Gucci-Pelzmantel. Die schweren Mäntel ihrer Töchter sind ebenso ungeeignet zum Wandern.

Sie wissen doch, wovon ich spreche. *High ultimate.* Führen Sie mich dorthin. Es ist mit Jean-Luc abgesprochen. Wir möchten die Männer in ihren Wingsuits sehen.

Wir schweben weiter hinauf. Ich deute auf einen Ort hinter Büschen und Bäumen. Dort muss es sein, fünfhundert Meter über dem Lauterbrunnental, gleich beim Klettersteig Gimmelwald – Mürren. Wie die Tribüne eines kilometerhohen Amphitheaters umstehen Eiger, Mönch und Jungfrau die Absprungstelle für Basejumper.

C'est ça?

Oui, Monsieur, là-bas. High ultimate.

Der Oberst schaut Richtung Mürrenfluh. Als ob er das Universum neu entdecken könnte, das älteste Licht sehen, die äußerste Grenze des Alls erkennen. Eine Landschaft, die von der Geburt der Erde vor fünfzehn Milliarden Jahren erzählt, von Eis und Fels bis zum Allerkleinsten, den Protonen und Neutronen und Mesonen des Atomkerns.

Langsam gleiten wir in die Station Mürren. Tochter Reem richtet ihr iPhone auf einen Motormäher am Steilhang, eine saftige Matte, auf der Kühe grasen. Dahinter der Schiltgradlift, wo ich Skifahren lernte. Ein Bauer mit einer Heuburde auf dem Rücken wandert bergauf.

Hinter der Station öffnet sich die Dorfszenerie. Alles ist in ein Zwielicht getaucht. Eine Kirchenglocke schlägt gerade neun. Die Luft ist kühl in Mürren, meine Haut erhitzt vom Gedränge in der Bahn. Die Luft auf eintausendsechshundert Metern über dem Meeresspiegel umschließt mich, presst sich gegen meine Haut und strömt in meinen Mund. Und die Luft ist voller Licht! Das verdammte Licht brennt auf mich nieder, es dringt hier oben viel leichter in meine Augen. Es malträtiert mich, und ich höre ihre mahnende Stimme. Die Sonnenbrille ist nutzlos. Ich sehe nur noch unscharf, wie das Berglicht die Bäume umfängt, die Alpenchalets, die steilen Matten und Geröllhänge. Das Licht durchdringt meine Pupillen, geht direkt ins Hirn, in meine Blutbahnen, ins Herz, und verströmt dann wieder durch die Haut. Irgendwann wird es meine Blutbahnen und Nervenstränge durchbrennen wie ein Laser.

Ich kann jetzt im Lichtdunst erkennen, wie ein Tamile ein Elektromobil mit der Aufschrift *Hotel Eiger* Richtung Dorfzentrum fährt. Die Ladefläche ist mit großen Milchkannen beladen. Der Oberst bleibt vor der Bergstation stehen. Er krümmt sich. Vielleicht ein Magenkrampf. Seine Frau und Töchter laufen weiter. Der Zustand des Obersts scheint sie nicht zu kümmern. Er entleert seine Nase in ein weißes Taschentuch. Ich biete ihm ein weiteres Taschentuch an. Das Taschentuch färbt sich rot. Seine Hände verkrampfen sich zu Fäusten. Angespannt ergründet Oberst Khaled Muhammad Kaiba seine blutende Nase. Seine Augen glühen. Wieso hat er mich nach *high ultimate* gefragt? Was ist mit seinen Augen?

Ich erkunde jetzt sein Gesicht. Von der Seite. Ich sehe etwas darin, kann es deutlich erkennen: der versunkene Bereich. Der Tod.

Ich laufe neben ihm. Vor uns öffnet der Dorfmetzger gerade sein Geschäft. Er hängt Kreidetafeln mit Fleischpreisen und einen Ständer mit Fuchsfellen vor die Tür. Der Oberst fragt kurz nach seiner Frau und seinen Töchtern. Ich sage, sie seien weiter vorn, im Dorfzentrum. Er schaut jetzt unruhig Richtung Rotalgletscher. Irgendetwas blendet ihn. Ein Licht im Eis? Signale von der anderen Talseite? Er setzt seine Sonnenbrille auf. Wir schlagen einen steilen Pfad ein, abwärts. Ich versuche die Stille zu durchbrechen. Erzähle ihm von meinem Vater. Wie er behauptet hat, dass es keinen stärkeren Glücklichmacher als die Sonnenstrahlen gebe, die morgens den Gletscher erleuchten.

Der Oberst antwortet nicht. Er schaut in die Tiefe. Richtung *high ultimate*. Seine Frauen hat er vergessen. Sie sind längst außer Sichtweite.

Mein Vater war übrigens davon überzeugt, dass sich die Berge bewegen. Dass es so etwas wie den Herzschlag der Berge gibt. Wie soll das möglich sein?

Der Oberst untersucht seinen ausziehbaren Wanderstock, passt die Länge an.

Mein Vater sprach von einem Knacken im Felsen. Ein Zucken im Gestein. Er hat behauptet, Berge müssten Spannungen abbauen. Und wenn der Permafrost erst mal weg sei, dann würden die Berge in sich zusammenfallen. Wir hielten ihn für einen Fantasten.

Wann ist Ihr Vater gestorben?

An einem Aprilmorgen 1973.

Der Libyer lauscht einem fernen Geräusch. Er sucht den Himmel ab. Es ist ein Air-Glacier-Helikopter, der das Tal mit seinem Knattern erschüttert. Es klingt wie ein Herzschlag und schwebt jetzt direkt über uns: Twock! Twock! Twock!

Was macht dieser Helikopter?

Keine Ahnung.

Und was hängt an seinem Seil?

Ich kann es nicht erkennen. Die meisten werden für Transporte genutzt. Oder Bergungszwecke.

Was wird geborgen?

Womöglich zerschmetterte Körper von Bergsteigern oder Basejumpern.

Der Oberst schaut mich prüfend an, als ob er meine Antwort anzweifelt.

Und wie viele Leichen werden nie geborgen?, fragt er und schirmt mit der Hand seine Augen ab.

Die Vermisstenliste ist lang, Monsieur. Seit über einhundert Jahren werden die Alpen als Spielplatz benutzt. Klar, dass uns Gott jetzt bestraft. Unsere Berge sind in Blut getränkt. Ein Leichenberg aus Bergsteigern und Abenteurern.

Der Oberst fängt Feuer. Das Wort »Gott« zeigt Wirkung. Er wendet sich um. Ein suchender Blick nach Frau und Töchtern. Dann tritt er näher an mich heran. Er lässt seine rechte Hand auf meine Schulter sinken. Er will, dass ich ihm jetzt zuhöre. Er spricht leise auf Französisch.

Cela doit être clair pour vous, les Suisse: Leichen, die nicht geborgen werden, haben schreckliche Folgen für uns Lebende. *Ça change tout.*

Auf seinem Gesicht spiegelt sich eine brutale Traurigkeit. Im Berglicht leuchten kleine Pockennarben an Stirn und Hals. Das Weiß in seinen Augen ist von roten Adern durchzogen.

Wir laufen ans südliche Ende von Mürren. Auf einem schmalen Pfad, immer näher an den Abgrund hinter den Büschen. Erst jetzt bemerke ich, dass der Helikopter tote Kühe in Netzen ins Tal transportiert. Drei Stück. Der Oberst hat es auch gesehen. Er schüttelt den Kopf.

Sind wohl vergangene Nacht beim Unwetter vom Blitz getroffen worden.

Er hört mir nicht mehr zu. Ich führe den Oberst näher an die Mürrenfluh. Ich hebe den Arm. Wir halten an. Meine Unterarme brennen. Vor uns am steilen Berghang sitzen ein älterer Wanderer und sein junger Begleiter. Sie betrachten einen Enzian. Sie haben die Pflanze womöglich oberhalb des Klettersteigs entdeckt. Der Wanderer und der Junge sitzen einfach da, studieren die Struktur der zarten Blätter. Der Junge kopiert sie mit Bleistift in ein Heft. Über uns schiebt sich eine Kumuluswolke vor die Sonne. Endlich Schatten. Ich suche das Eisfeld unterhalb der Äbeni Flue ab. Das Gesicht der Alpen hat sich wieder verändert. Ich gehe weiter Richtung Absprungstelle. Es ist nicht mehr weit. Ich werde ihn führen. Er folgt mir. Über uns taucht ein Gleitschirmspringer auf. Der Pilot winkt dem Jungen mit dem Enzian zu. Der Junge winkt zurück. Auf dem Gleitschirm leuchtet ein Totenkopf.

Wir erreichen die Absprungstelle über der Mürrenfluh. Mir wird schwindlig. Ich schließe die Augen. Der Libyer legt seinen Arm um meine Schulter.

Höhenangst? Sie?

Zum ersten Mal lächelt er.

Wissen Sie, ich habe etwas gelernt in meiner Heimat. Es gibt nie einen leichten Weg in eine bessere Welt. Nie.

Er setzt sich auf die Absprungplattform und zündet sich eine Zigarette an. Er sucht das Dorf Lauterbrunnen mit dem Feldstecher ab, folgt dem Flussverlauf der zwei Lütschinen. Ein flüchtiges Lächeln huscht über sein Gesicht.

Ich bin Ihnen sehr dankbar, Monsieur Tom. Dankbar, dass sie mich an diesen wunderschönen Ort geführt haben. Richten Sie Jean-Luc aus, dass ich sehr zufrieden bin mit Ihren Diensten. Sehr zufrieden.

Ist für Ihre Familie gesorgt?, frage ich.

Es ist für alle gesorgt. Auch für mich.

Sie können gehen.

Gehen Sie nur.

Vince schläft. Seine Tür ist halb geöffnet. Die Reisetasche gepackt. Es ist die letzte Nacht vor seiner großen Reise. Ich schmiege mich an seinen Rücken, atme tief durch, lege meine Nase an seine Haut. Ich versuche das Nachdenken auszuschalten, die Wachsamkeit abzulegen. Vincents Bett hilft mir, einen bestimmten Zustand der Ruhe und des Wohlseins zu erreichen. Ich schließe die Augen, lege meine Arme um seinen Oberkörper, entspanne. Ganz langsam stellt sich das Gefühl ein zu schweben. Als ob ich mich durch sein Kinderzimmer bewegte, wie ein Blatt.

Wie das Schweben, nach dem sich der libysche General gesehnt hat. Es war schon dunkel im Lauterbrunnental, ich stand vor meinem Dienstwagen am Parkplatz Stechelberg und öffnete die Beifahrertür. Ranai, die Frau von Oberst Khaled Muhammad Kaiba, trug keinen Schleier mehr. Ich hielt ihr die Wagentür auf, während sie ganz langsam ihren langen Wintermantel auszog. Dann den dicken Lacoste-Pullover. Ein wunderschöner Körper in einem engen schwarzen Kleid kam zum Vorschein. Ein schlanker, großer, in den Himmel gerichteter Körper. Vielleicht vierzig Jahre alt.

Dann saß sie neben mir. In ihrem leichten, ärmellosen Kleid wirkte sie wie befreit. Sie schwieg. Ich mochte ihre Passivität. Ihre Erleichterung. Wir fuhren Richtung Lauterbrunnen. Sie betrachtete mein Foto auf dem Armaturenbrett, sah zu mir. Ich kontrollierte den Rückspiegel. Im Fond saßen die Töchter Reem und Fatima. Der Chihuahua spielte verrückt. Die Mädchen lachten sich krumm. Im Rückspiegel verschwanden die letzten Konturen der Mürrenfluh.

Am Fuß der Wand lag ein zerschmetterter Körper. Es konnte Tage dauern, bis man die Leiche finden würde. Jean-Luc, der Fixer, würde der Libyschen Botschaft Bericht erstatten, Spuren verwischen, wie Harvey Keitel in *Pulp Fiction*. Regen setzte ein, als wir Zweilütschinen erreichten. Die nasse Straße glänzte wie ein Spiegel. Ranai studierte Google Maps. Die Mädchen spielten auf ihren iPhones. Der Chihuahua hatte sich in seinen Rucksack verkrochen.

Fahren sie da vorne rechts, sagte Ranai plötzlich auf Englisch mit arabischem Akzent.

Wir werden ein Hotel in Grindelwald beziehen. Sie bleiben doch bei uns, Mister?

Sie schaute mich an. Nervös strichen meine Lederhandschuhe über das Lenkrad.

Glauben Sie mir, er war der schlimmste Mann der Welt.

Sie drehte sich in meine Richtung, nahm ihre Sonnenbrille ab.

Er hat sich an uns vergangen, an seinem Land vergangen. Wir hatten keine Chance.

Sie drehte sich zurück, blickte geradeaus. Nebel senkte sich über die Straße.

Sein Tod ist gut für uns alle. Ein schöner Tod. So hat er es sich gewünscht. Sie haben es ihm ermöglicht. Die Schweiz lässt alles zu. Wir lieben dieses Land.

Wissen Sie schon welches Hotel, Madam?

Google empfiehlt das Romantik-Hotel Schweizerhof. Haben Sie davon gehört?

Nein.

Bleiben Sie bei uns diese Nacht?

Tut mir leid, Madam. Ich fahre Sie nach Grindelwand. Dann muss ich zurück nach Bern. Zu meinem Sohn.

Ich verstehe. Wir sehen uns wieder. Irgendwann.

6

Mercedes, fahr mich zum Flughafen Zürich-Kloten.

Früher Vormittag. Vince tritt seine Reise an. Es ist eine reine Vorsichtsmaßnahme. Er sitzt neben mir und untersucht die Ausstattung im 560er. Er übernimmt die Kontrolle.

Das ist ein kranker Wagen, Dad.

Ich weiß.

Nicht besonders umweltfreundlich. Wofür braucht ein Wagen einen Kühlschrank?

Es ist nicht mein Wagen. Aber gegen ein kühles Getränk auf der Fahrt hast du sicher nichts.

Ich brauche kein gekühltes Getränk. Ich brauche Internet.

Bei der ersten Steigung zum Grauholz-Pass zeige ich auf ein Denkmal am Waldrand.

Hier besiegte Napoleon die Berner.

Vince schaut von seinem Smartphone hoch. Dad, das hast du uns schon tausendmal erzählt und Mama damit genervt.

Er wendet sein Gesicht zum Seitenfester, krümmt sich in eine fetale Position und starrt auf sein Display. Ich mag es, wenn er sich so zusammenrollt. Ich weiß auch nicht wieso.

Wir reden nicht mehr. Vince tippt Nachrichten in sein iPhone. Wir durchqueren das Schweizer Mittelland. Das graue Licht schmerzt, obwohl auf meinem Gesicht die breite Sonnenbrille sitzt.

Vor uns liegt eine öde Fläche, nahe Solothurn, flankiert von Jura-Erhebungen Richtung Norden und grau schimmernden Hügeln Richtung Süden. Düsternis dominiert das Emmental.

Weißt du, was die Schweiz von Amerika unterscheidet?

Er schaut mich gelangweilt an: Die Schweiz ist das Paradies und Amerika die Hölle?

Nicht schlecht, deine Antwort.

Er versucht, meinen Zynismus zu kopieren.

Ich grinse stolz. So muss es sich für den Vater von Roger Federer anfühlen, wenn der Sohn einen Matchball verwandelt.

Weißt du, die Natur richtet hierzulande nur gelegentlich Unheil an. Das ist einer der großen Unterschiede zwischen der Schweiz und Amerika, sage ich belehrend.

Es gibt hier Lawinen, Daddy. Überschwemmungen und Stürme.

Stimmt. Aber nicht so oft. Und nicht mit solchen Folgen wie Feuerstürme in Kalifornien, Tornados im Kansas, Hurrikans in Mississippi. Amerikaner kennen sich mit der kaputten Welt besser aus als die Leute hier.

Echt?, fragt Vincent zurück. Und was ist mit diesen Afrikanern auf den Booten im Mittelmeer? Die kennen sich doch noch besser aus mit der kaputten Welt als Amerikaner, oder?

Vince schaut mit leerem Blick durch die Frontscheibe.

Du warst doch mit Mama einmal in einem Tornado in Kansas? Und Mama hat Bilder von Tornados gemacht. Ziemlich kaputte Sache. Und dann habt ihr Frank gezeugt, oder?

Ich antworte nicht.

Der Wind weht einen Dunstschleier vor sich her. Schweizer Wetter. Stille.

Dann fragt Vince: Dad, du hast die Waffen nicht erwähnt, mit denen man in Amerika getötet werden kann. Die Shootings in Schulen und die Väter, die ihre Familien auslöschen und sich dann selbst töten. Das ist Amerika.

Hier gibt es auch Waffen, antworte ich.

Aber die Leute benutzen sie anders als in Amerika, oder? Zum Jagen vielleicht, oder in der Armee. Oder hast du schon mal von einer Schießerei in einer Schweizer Schule gehört?

Ich antworte wieder nicht, konzentriere mich auf den Asphalt nahe Olten, starre auf den Wagen vor mir.

Vince tippt eine weitere Nachricht in sein Smartphone.

Dad, hast du eigentlich deinen *Glock*-Revolver in die Schweiz mitgenommen?

Als er *Glock* sagt, erschrecke ich und nehme für einen Augenblick den Fuß vom Gas. Ich schüttle den Kopf. Und denke daran, wie sehr mich doch diese schwarzen Regenwolken über dem Mittelland beruhigen.

Nein, die *Glock* ist in Los Angeles geblieben, denke ich. Gut versteckt.

Frank wird sie nie finden.

Noch fünfzig Kilometer bis zum Flughafen Zürich.

Wir nähern uns jetzt einer riesigen Wolke am Horizont.

Weißt du, was das da vorne ist, Vince?

Diese Wolke?

Ja.

Keine Ahnung.

Ein Atomkraftwerk.

Wow.

Dann sagen wir lange nichts mehr.

Bis graues Land vor Zürich auftaucht und eine Autobahn-Raststätte namens Würenlos, verziert mit einer riesigen Schweizer Fahne.

Bald sind wir am Flughafen. Freust du dich?

Er lächelt mich an.

Wann sind wir da?

In fünf Minuten. In fünf Minuten kannst du machen, was du willst, happy?

Vince lächelt mich an.

Sei nicht so dramatisch, Daddy.

Ich spüre den Drang, ihm etwas Böses zu antworten, als ob es meine letzte Chance wäre. Zum Beispiel, dass man erst frei wird, wenn man tot ist. Aber ich sage es nicht.

Wir stehen in der Flughafenhalle. Eine *Swiss*-Hostess taucht auf. Sie wird Vince zum Gate begleiten. Der Abschied naht.

Er legt einen Arm um mich und hält mich fest.

Muss ich wirklich fliegen?, Dad. Ich will nicht.

Mein Herz hämmert. Die *Swiss*-Hostess stellt sich neben uns. Sie nimmt Vince am Arm und will ihn Richtung Sicherheitskontrolle drängen.

Vince reißt sich los. Er rennt zu mir zurück und umarmt mich. Heftiger als vorher. Ich spüre seine zarten schnellen Atemzüge. Ich küsse ihn. Er küsst mich. Er hält mich fest, seine Knie zittern, er lächelt mich an. Ich sehe seine Tränen. Er sieht meine Tränen. Die Hostess blickt zu mir und deutet auf ihre Uhr. Es eilt. Wer von Europa aus in die USA fliegt, muss mit schärferen Sicherheitschecks rechnen, hatte sie gesagt. In einem separaten Sicherheitscheck sollen seine elektronischen Geräte nach Sprengstoff untersucht, sein Körper durchleuchtet werden.

Er küsst mich auf meine Lippen. Er klammert sich an mich.

Durchleuchten!

Hinter meinen Augen beginnt es zu brennen. Vielleicht das Adrenalin, das plötzlich durch meinen Körper schießt. Ich packe den

Rollkoffer, nehme seine Hand, zerre ihn hinter mir her. Er blickt zurück zur Hostess. Sein Leben hat eine unwiderrufliche Wendung genommen.

Dad! Was machen wir mit meinem *Swiss*-Ticket?
Vergiss es.
Und hast du Frank schon geschrieben, dass ich nicht komme?
Ja. Aber er antwortet nicht.
Wir eilen durch die Überführung, als würden wir verfolgt. Von der Rolltreppe geht es hinunter in das Einkaufszentrum des Flughafens Kloten. Die riesigen Hallen wirken wie Schaufenster, die die Schweiz zum Verkauf anbieten: von Banken bis Versicherungen, von Uhren über Schokolade bis Bergdestinationen. Unten an der Rolltreppe steht ein Junge im Alter von Vince, arabischer Herkunft. Er betrachtet Roger Federer auf einem Werbeplakat für ein Telekommunikationsunternehmen. Der Junge trägt eine dicke, ärmellose Skiweste, an der ein Messingring baumelt. Die Jacke erinnert an eine Bombenweste.

Ich weiß nicht mehr, wie lange ich auf der rechten Spur außerhalb des Flughafen-Parkings warte. Die Ampel zeigt Rot. Meine Kehle hat sich verengt. Das Herz pumpt schneller. Eine *Swiss*-Maschine steigt in den Himmel. Vielleicht hatte ich einen roten Feuerball erwartet, der jetzt über Zürich-Kloten aufsteigt. Aber nichts geschieht. Ich gleite auf die A1 Richtung Bern. Schlanke Rauchfahnen ziehen ihre Bahnen über Nordheim. Örlikon ist noch wolkenfrei.

Seit vierundzwanzig Stunden hinterlasse ich ununterbrochen Nachrichten in Los Angeles. Aber Frank meldet sich nicht. Sollte mich das beunruhigen? Vielleicht ist er froh, dass sein Bruder nie angekommen ist. Aber eine Nachricht hätte ich von ihm erwartet. Irgendwann schlafe ich ein. Als es dunkel wird, klingelt der Wecker. Automatisch greife ich nach meinem iPhone. Keine Nachricht von Frank. Prüfe Snapchat und seinen Music Blog auf Instagram. Nichts. Vielleicht muss Jean-Luc helfen.

Am Abend setze ich mich auf den Balkon, lausche dem Rauschen auf der A6, den Geräuschen in den Wohnungen über und unter uns. Unser Nachbar aus der Nummer 48 taucht ab und zu am Fenster auf, blickt in unsere Richtung.

Während ich im Sonnenstuhl Wache halte, falle ich immer wieder in einen Halbschlaf. Neuerdings geht es in meinen Träumen um Wasser: Riesige Wellen, die auf die Strände von Malibu schlagen, Wasser, das an den Wänden unserer Wohnung herabrinnt, überlaufende Toiletten, Brunnenwasser, Gletscherwasser, Wasserfälle in den Berner Alpen.

Als ich erwache, spüre ich diesen Schmerz, der sich vom Kopf bis in den Brustkorb zieht, wie ein elektrisch geladener Faden. Der Schmerz muss von einem Knoten im Herzen kommen. Nina hat ihn gestickt. Er lässt sich nicht lösen. *Han.*

Nina sitzt an einem Arbeitstischchen, eng an eine kahle Wand gerückt. Sie trägt ein hellgelbes Kleid mit einem hohen weißen Kragen, in der linken Hand hält sie zwei Klöppel, mit der anderen sticht sie vorsichtig die Nadel in mein Herz. Sie ist auf dem Bild ganz kompliziert frisiert. Das passt zu ihr. Das blonde Haar ist sowohl über der Stirn als auch quer über den Kopf gescheitelt. Das zurückgekämmte Haar ist zu einem Zopf geflochten, der sich eng um den Hinterkopf legt. Zu beiden Seiten der Schläfen ringeln sich Haarsträhnen. So sitzt sie da, wie in einem Bild von Jan Vermeer. Sie stickt einen Knoten in mein Herz. Ich soll vor Unglück sterben.

Vince taucht auf. Er steht nackt neben mir. Er kann nicht schlafen.

Du wirst dich auf dem Balkon erkälten, Vince.

Du auch, Dad. Was machst du nackt auf dem Balkon?

Ich nehme ihn fest in die Arme.

Ich beobachte die Umgebung. Die Welt da draußen. Wir haben einen schönen Blick von hier oben, findest du nicht auch?

Es ist dunkel. Du kannst gar nichts sehen.

Trotzdem eine schöne Umgebung, oder? Jetzt wird sie noch schöner, weil du bei mir geblieben bist.

Ich nehme ihn fester in die Arme, umklammere seinen nackten Körper, gebe ihm Wärme.

Bist du traurig?

Er löst sich von mir.

Ich wollte nicht fliegen, Dad! Hast du das vielleicht vergessen? Ich hab mich von der Hostess losgerissen!

Stille.

Weißt du noch, Vince, es war ein strahlender Frühlingsmorgen, als wir hier eingezogen sind. Überall Grün. Der weiche Duft von gemähtem Gras. Kannst du dich erinnern? Wir sind oft im Gras gelegen, haben die Gegend beobachtet, und die Schweiz kam uns wie ein Theaterstück vor. Die Ausländerfamilien, die in den Schrebergärten grillen, und die Fähnchen verschiedener Nationen in ihren Gärten. Afrikanische Mütter tragen farbenfrohe Traditionskleidung und spazieren durch die Gegend wie … Ja, wie?

Wie Marionetten in einem Schweizer Puppentheater, hast du gesagt.

Stimmt, habe ich gesagt.

Was heißt das?

Vergiss es. Das habe ich damals gesagt. Jetzt finde ich es schön hier, mit dir.

Und die einzigen Waffen, die man auf Spielplätzen findet, sind aus Holz, hast du gesagt.

Stimmt.

Vince lacht.

Dann hast du gesagt, dass uns die Nachbarschaft beobachten wird. Weil wir die Neuen sind. Und weil Schweizer Nachbarn alles kontrollieren, was nicht ins Bild passt.

Stimmt, Vince. Habe ich damals gesagt. Aber jetzt sind wir keine Fremden mehr.

Aber sie beobachten mich immer noch.

Ich weiß. Mich auch. Aber das hört irgendwann auf. Hast du eigentlich bemerkt, dass hier die Sterne heller leuchten als in Südkalifornien?

Weiß nicht.

Stell dir vor, schon seit Jahrtausenden wandert der Blick der Menschen ehrfürchtig nach oben, Nacht für Nacht.

In der Schweiz sehen die Sterne anders aus, Dad. Und es gibt viel weniger.

Vieles ist anders, Vince. Mama ist nicht mehr da.

Vince befreit sich aus meinen Armen.

Ich fände es spannender, wenn wir nicht überlebt hätten. Und als Tote in einem Horrorfilm auftauchen, so was wie *Walking Dead*.

Das darfst du nicht sagen, Vince.

Manchmal wünschte ich mir aber, ich wäre bei Mom.

Heißt das, du wünschst dir, dass du tot wärst?

Ja.

So was sagt man nicht. Ich ziehe ihn zurück an meinen Körper.

Nicht in deinem Alter.

Aber in deinem Alter?

Nein, auch nicht in meinem Alter.

Das glaube ich dir nicht. Du redest ständig vom Tod.

Ich blicke nach oben.

Schau mal, keine Milchstraße am Firmament. Nur eine Handvoll Sterne. Die Nächte werden hier auch immer heller.

Wieso heller?

Es gibt immer mehr Licht auf der Erde.

Stille.

Schläfst du heute Nacht bei mir?

Ich weiß noch nicht.

Vince kehrt mir den Rücken zu, geht zurück in die Wohnung.

Ich lehne mich weit über den Balkon. Das Blut steigt mir in den Kopf. Mein Gehirn pulsiert als steckte es in einer Kugel aus Glas. Die Nacht wird immer heller, meine Seele dunkler.

Ich taste mich in sein Schlafzimmer. Ich kann seine Mutter riechen. Die kleine Nachttischlampe verbreitet ein schwaches Licht. Ich lege mich an seinen Körper. Er hat sich nicht gewaschen. Ich rieche Ninas Muschelgeruch. Er nimmt jetzt meinen Arm und legt ihn um seine Taille. Er presst meine Hand, streichelt sie, lässt nicht mehr los. Ich nehme ihn fester in die Arme, drücke meine Nase in seinen Nacken. So schlafen wir ein.

7

23:15. Casinoplatz. Die Schranke zur Tiefgarage geht hoch, langsam kreise ich ins sechste Untergeschoss. Zentrale. Beim Eingang zum Limousinen-Sektor steht Amal, unser tamilischer Wartungstechniker. Er weist mich mit einer Taschenlampe in meine Parkposition. Von dort kann ich Jean-Luc hinter einem Fenster beobachten. Er wandert unruhig durch sein Büro, spricht in sein Headset. Er trägt wie immer einen schwarzen Anzug, weißes Hemd, schwarze Krawatte. Sein Revers ziert eine rote AnsteckNadel von AT-Limo-Service.

Ich kontrolliere mein iPhone. Mutter meldet sich per SMS. Die Stadtpolizei Bern auf der Mailbox, irgendeine Routinebefragung. Sonst keine Nachrichten. Ich ziehe die Lederhandschuhe aus, lege sie auf den Vordersitz, stoße die Wagentür auf, streiche den rechten Ärmel meines Anzugs sauber, werfe Amal den Smart Key zu.

Als ich das Büro betrete, sagt Jean-Luc:

Mach es dir bequem.

Er schenkt mir Kaffee ein.

Ich möchte dir nochmals danken, Tom. Dein Einsatz in Mürren war mutig und professionell. Das sage ich auch im Namen meiner Leute aus der Libyschen Botschaft.

Ich nicke verlegen und frage nach, was mit der Frau des Oberst und seinen beiden Töchtern geschehen ist.

Keine Ahnung. Das muss dich nicht kümmern.

Erst jetzt fällt mir ein Jesus-Kreuz an der gegenüberliegenden Wand auf. Zwei Zeichnungen hängen ebenfalls dort. Sie zeigen tropische Vögel auf dem Pier von Malibu. Jean-Luc behauptet, mit Bleistift zeichnen, beruhige seine Nerven. Klingt wie ein Mann mit Kriegstrauma. Er steht auf und legt seine Hand auf meine Schulter.

Ich schätze deine Arbeit, Tom.

Ich zittere leicht.

Plötzlich öffnet sich die Toilettentür. »Willi«, ein sudanesischer Fahrer tritt heraus. Er hält einen Pizza-Karton in der Hand, in seinen Mundwinkeln klebt Tomatensauce, er streckt mir seine Hand zum Abklatschen entgegen.

Willi, um punkt halb zwei in Zürich-Kloten.

Jean-Luc rotiert den Drehstuhl. Seine Augen leuchten.

Ich habe gehört, Vince wollte alleine nach Los Angeles fliegen.

Er wollte seinen Bruder sehen. Dann hat er es sich anders überlegt. Das ist alles.

Jean-Luc steht auf.

Mich geht das ja nichts an. Aber vielleicht hätte es deinem Jungen ganz gutgetan, eine Weile nichts mit dir zu tun zu haben.

Er grinst mich an.

Er wollte bei mir bleiben. Es war seine Entscheidung.

Ich nehme einen Schluck Kaffee und schaue durch das Fenster in die Tiefgarage. Jean-Luc predigt weiter.

Die Mutter zu verlieren, ist ein Schock. Es ist kaum ein Jahr her. Vielleicht hast du ihnen seitdem nicht genügend Zeit und Liebe gegeben.

Was weißt du über Liebe, Jean-Luc?

Er hält meine Schulter fest.

Schon gut, Tom. Mach dir keine Sorgen. Selbst wenn Kinder am anderen Ende der Welt leben, werden sie es nicht schaffen, die Familie hinter sich zu lassen.

Er steht neben mir. Ich betrachte sein bleiches Gesicht, die glasigen Augen, den schiefen Mund, die fettigen schwarzen Haare und die Narbe über der linken Schläfe.

Jean-Luc tätschelt sanft meinen Kopf.

Ich sage dir jetzt etwas sehr Wichtiges, Tom. Niemand wacht morgens auf und denkt: Oh, ich möchte meine Eltern nicht mehr! Keine Panik, nur weil sich Frank ein paar Tage nicht mehr meldet. Meine Leute in L. A. werden sich kümmern.

Ich starre in seine rotunterlaufenen Augen.

Es sind sechs Tage, Jean-Luc. Sechs Tage! Keine Postings, keine Whatsapps, kein Anruf, nichts!

Deine Jungs lieben dich! Glaub mir, Kinder können auf krankhafte Weise loyal sein.

Wovon redest du eigentlich?

Die Kinder hoffen, dass die Eltern vielleicht doch noch zu denen werden, die sie sich schon immer gewünscht haben.

Er lächelt.

Ich schließe die Augen, lege den Kopf in meinen Nacken, atme tief durch. Er küsst meine Stirn, ganz der Iraner.

Meine Leute in L. A. halten Kontakt zu Frank. Du kannst mir vertrauen. Wenn wir mehr wissen, sagen wir dir Bescheid.

Er zieht eine schwarze Pillen-Schachtel aus seiner Schreibtischschublade und legt sie auf den Tisch.

Es ist die letzte Ladung, Tom.

Ich starre die Schachtel an.

Wir Fahrer müssen zusammenhalten. Wir müssen gegen das Schicksal ankämpfen, gegen die schlechte Welt, im Namen der Zukunft, für unsere Kinder.

Das sagt er immer, denke ich. Das sagt Jean-Luc immer wieder.

Amal fährt den Wagen vor. Ein S 600er mit Corps-Diplomatique-Kennzeichen, ein Märchenschloss auf Rädern. Manchmal vermute ich, dass die Kennzeichen gefälscht sind. Aber es geht mich nichts an.

Ich trage mich ins Fahrtenbuch ein. Jean-Luc richtet jetzt seinen rechten Zeigefinger wie ein Pistolenlauf auf mein Gesicht. Abschiedszeremoniell. Dann drückt er ab, klappt den Daumen hoch und dreht seinen Stuhl in die andere Richtung.

Abnahme. Noch nie habe ich einen S 600 Zwölfzylinder Benziner mit extra langem Radabstand gefahren. Ich gehe einmal um die massive Karosserie. Ich streichle den Kühlergrill mit den drei Doppellamellen und den schwarzen Stäben, Multibeam-LED-Scheinwerfern, Rückleuchten in Kristalloptik. Amal öffnet die Kühlerhaube. Ich schüttle den Kopf, interessiert mich nicht.

Ich steige ein, erschnuppere den Patschuli-Geruch im Innenraum. Das Lenkrad der 600er-Serie hat noch mehr Knöpfe. Zwei TFT-Displays thronen vor mir unter einem gemeinsamen Deckglas. Ein Touchpad sitzt wie beim 560er direkt über dem zentralen Drehregler auf der Mittelkonsole. Es lässt sich durch Wischen bedienen, ich kann Zahlen und Buchstaben aufs Pad malen während mein Handgelenk auf der Mittelarmlehne liegt. Ich klebe mein Familienfoto auf die rechte Seite des Armaturenbretts. Startbereit.

Sulgenheimstraße. Botschaft der Republik Kongo. Zwei Männer. Der Ältere trägt einen zu engen Zweireiher mit Hemd und Krawatte, unter seinem Arm klemmt ein Aktenkoffer, der mit einer Sicherheitskette um sein Handgelenk befestigt ist. Der zweite Mann, bestimmt über zwei Meter groß, steckt in einem Trainingsanzug, Kopfhörer über den Ohren. Sein Blick ist fokussiert auf das iPhone in seiner Hand.

Ich bin ausgestiegen. Meine Passagiere haben die Türen geöffnet, noch bevor ich ihnen behilflich sein konnte.

Mister Driver, Sie fahren uns also in den Süden?

Der Mann im Zweireiher spricht Englisch mit französischem Akzent. Ich nicke höflich. Er macht es sich im Fond bequem, lockert seine Krawatte. Geruch nach Schweiß und Alkohol.

Passen Sie mal gut auf, Mister Driver.

Er beugt sich vor.

Sie fahren nicht über die A1 Richtung Zürich, sie nehmen einen der Alpenpässe. Ich kenne mich aus in der Schweiz. Fahren Sie über den Sustenpass oder die Grimsel. Mir egal. Einfach nicht über die A1.

Ich blicke in den Rückspiegel. Der Kongolese hat jetzt die Leselampe angemacht, schaltet sie wieder aus, er spielt mit dem Licht, ich erkenne einen grünen Flecken auf seinem hellen Jackett, er schwitzt.

Sir, entschuldigen Sie bitte, aber wenn wir über die Alpenpässe fahren, dann verlängert sich unsere Fahrt um mindestens zwei Stunden. Wollen Sie das wirklich?

Wir fahren über die Pässe. Die Strecke ist sicherer.

Ich starre durch die Windschutzscheibe. Am Straßenrand steht ein Angestellter der Botschaft. Er wartet auf unsere Abfahrt.

Mein Name ist übrigens Mutombo, wie Dikembe Mutombo von den *Houston Rockets*.

Er blickt in meinen Rückspiegel, wartet auf meine Reaktion.

Jean-Luc hat mir erzählt, Sie hätten lange Zeit in den USA gelebt. Dann kennen sie unseren großen Mutombo, oder?

Mutombo, klar erinnere ich mich an Dikembe Mutombo, Sir.

Ich fahre los. Der Botschaftsangestellte am Straßenrand salutiert.

Dikembe ist unser Held. Können Sie sich noch an seine Angewohnheit erinnern, nach erfolgreichen Blocks seinem Gegenspieler mit erhobenem Zeigefinger zu winken?

Ja, erinnere mich, Monsieur.

Dann rief er seinen Gegenspielern *Not in my house!* nach. Er war der coolste Nigger der NBA, und der höflichste. Was für ein großer Mensch.

Das war er, Monsieur.

Ich fahre am Ostring vorbei, auf die A6, im Seitenrückspiegel kann ich meinen Wohnblock sehen, sechster Stock, alles dunkel. Vince schläft.

Monsieur Mutombo beugt sich wieder nach vorn, die Kette an seinem Handgelenk rasselt.

Ist das Ihre Familie auf dem Foto?

Ja.

Er beugt sich noch weiter vor, schaut genauer hin.

Ihre Kinder haben krauses Haar?

Blonde Locken, das ist alles.

Und was ist mit Ihrer Frau? Auch Schweizerin?

Ja, mit deutschem Blut durchsetzt.

Ich weiß nicht, wieso ich »Blut« erwähne.

Wir haben vier deutsche Schäferhunde auf unserer Ranch in Kinshasa. Alle hervorragend gezüchtet, gute Vorfahren, gutes Blut. Wie dieser Junge hier.

Er schlägt seinem Sohn hart auf den Oberschenkel. Aber der rührt sich nicht, starrt weiter auf sein iPhone.

Darf ich Ihnen den nächsten Dikembe Mutombo vorstellen: Mein Sohn, Zahir, spielt Point Guard für das Universitätsteam von North Carolina, der Heimat von Michael Jordan.

Er lacht und klatscht seinem Sohn diesmal auf die Wange. Zahir rührt sich nicht unter seinen riesigen Kopfhörern.

00:45. A8 bei Därligen. Monsieur Mutombo blickt stumm über den Thunersee. Kein Auto weit und breit. Die Landschaft abgedunkelt, wie bei Fliegeralarm.

Wieso ist es hier so dunkel?

Er schaut in den Rückspiegel. Ich antworte nicht.

Er nimmt einen Schluck aus seinem Flachmann. Er dreht sich um, schaut durchs Heckfenster, als ob er einen Verfolger wittert. Aber da ist nichts, nur auf dem Seitenstreifen blutiger Tierkadaver, als ob mehrere Tiere beim Kampf überfahren worden wären.

Ich habe noch nie so viele totgefahrene Tiere in der Schweiz gesehen. Können Sie sich das erklären, Mister Driver?

Die Zeitangabe leuchtet grün in der Windschutzscheibe.

Keine Ahnung, Monsieur. Die Natur ist ziemlich durcheinandergeraten.

Da haben Sie vielleicht recht, auf der ganzen Welt ist das verdammte Klima ein Thema. Nur nicht im Kongo. Bei uns blüht die Natur, die Tiere, die Menschen. Wir werden kommen. Das sage ich ihnen. Wir werden kommen. Wie mein Sohn.

Monsieur Mutombo lacht schrill in die Dunkelheit hinaus.

Ich frage mich, was in der Schweiz los ist. Etwas stimmt nicht mehr. Vieles ist anders seit meinem letzten Besuch. Die Leute sind verunsichert. Wo ist das Selbstvertrauen der Schweizer? Sie glauben nicht mehr an das eigene Paradies. Was ist los?

00:59. Nahe Iseltwald. Versuche mich abzulenken. Über das Touchpad kontaktiere ich Los Angeles. Auf dem Display erscheint die immer gleiche Nachricht: *Facetime unavailable.*

Ich vermisse das leichtere Handling des S 560 4MATIC. Es wird eine lange Nacht. Düsternis breitet sich vor mir aus. Die Schmerzen im Hinterkopf, auf der Haut und im Magen scheinen gekoppelt zu sein. Nina ist bei mir. Ich spüre es, aber anders als sonst.

Leere Autobahn am linken Brienzerseeufer. Monsieur Mutombo schaut auf sein iPhone. Meine Brust spannt sich, droht zu bersten. Noch nie habe ich einen schwärzeren Himmel über den Berner Alpen gesehen. Hoffe auf ein Zeichen auf der Windschutzscheibe. Aber da leuchtet nur das fluoreszierende Grün der Ziffern.

Ich spreche leise in mich hinein, als ob ich einen Brief diktieren würde. Wir hatten immer leidenschaftlichen Briefverkehr. Wenn wir uns etwas Wichtiges mitzuteilen hatten, schrieben wir es auf, verschickten es mit der Post. Viele Briefe habe ich nie abgeschickt, sie begannen harmlos und wurden dann viel zu leidenschaftlich.

»My love«, schreibe ich in Gedanken. »Unsere Trennung ist nur vorübergehend, Baby. Ich werde bald nachsterben. Glaub mir, ganz bald bin ich bei dir.«

Detonationen.

Was war das?

Womöglich Sprengungen, Sir.

Sprengungen?

Um Lawinen auszulösen.

In der Nacht?

Ich weiß es nicht, Monsieur.

Am Straßenrand taucht eine Kolonne marschierender Mädchen in Arbeiteroveralls auf. Sie gleichen Trümmerfrauen, schultern Rucksäcke und Schaufeln, die Anführerin trägt eine Helmlampe.

Wer sind diese Leute?

Schwer zu sagen. Aktivistinnen vielleicht, auf dem Weg zu den Gletschern.

Solche Mädchen gibt's bei uns auch, sagt Monsieur Mutombo. Militärisch gedrillt. Prachtexemplare. Hart im Nehmen, hart im Geben.

Seine Armkette rasselt.

Schauen sie sich mal die Hände meines Sohnes an. Made in Kongo.

Er führt den Arm seines Sohnes nach vorn, ich soll ihn berühren.

Schauen Sie sich diese Knochen an, und über zwei Meter Edelmuskulatur.

Zahir schaut mitleidig zu seinem Vater.

Sie sollten mal seine Mutter sehen, ein Wahnsinnskörper, dazu erstklassige Charaktereigenschaften. Alles eine Frage der Planung.

Planung?

Ja. So einen Jungen kreierst du nur mit der richtigen Planung.

Er dreht jetzt seine Handschellen, die mit dem Aktenkoffer verbunden sind.

Wie steht es um Ihre Kinder, Mister Driver?

Ich starre durch die Windschutzscheibe.

Ziemlich normale Jungs, Monsieur. Nichts Außergewöhnliches.

Sie hätten aber auch nichts dagegen, wenn es Prachtexemplare geworden wären, oder?

Man nimmt, was man kriegt.

Er lacht.

Ein bisschen nachhelfen reicht manchmal nicht. Schauen Sie doch nur mal meinen Zahir an. Ein Kandidat für die NBA. Er kneift seinem Sohn in die Wange. Dann küsst er ihn auf die Stirn.

Vor Meiringen beschleunige ich auf 160 km/h. Zahir Mutombo spielt gelangweilt mit dem Ambientelicht, der Innenraum erstrahlt in individualisierbaren Farbzonen. Bei Geissholz liegen tote Rinder auf den Feldern.

01:21. Aareschlucht. Ein lautes Zischen in der Luft. F/A-18-Jets jagen im Tiefflug über das Tal, drehen am Ende des Oberhasli senkrecht steigend ab Richtung Grimselmassiv.

Was ist los in der Schweiz?

Die machen Jagd auf illegale Flüchtlinge aus Zentralafrika.

Monsieur Mutombo lacht schallend auf.

Sie sind vielleicht ein Spaßvogel.

Er beugt sich wieder nach vorn. Seine Golduhr blitzt auf.

Gibt es in der Schweiz kein Nachtflugverbot?

Keine Ahnung.

Ist ja noch schlimmer als bei uns.

Er lehnt sich zurück.

Sein Sohn fragt nach, ob er eine Coke aus der integrierten Kühlbox nehmen dürfe.

Klar.

Was haben Sie sonst noch im Angebot?

Cognac, Sir. *Remy Martin Centaure de Diamant.* Bedienen Sie sich.

Vom Ausgang der Aareschlucht kriecht eine schlangenförmige Nebelbank Richtung Innertkirchen. Der Ort scheint unbewohnt. Die Straßenbeleuchtung ausgeschaltet, das Neonlicht an der Dorf-Tankstelle flackert, eine Gruppe Rehe schleicht wie in Zeitlupe über die Felder, wo einmal Häuser standen.

Am Grimsel erscheint der dünne Strahl eines Suchscheinwerfers.

Was sind das für Lichter?

Ich weiß es nicht. Immer mehr Menschen pilgern an den Totensee und trauern um sterbende Gletscher.

Totensee?

Ja, sie halten den Grimselpass für einen magischen Ort, mit einem alten Wasserkraftwerk und mehreren Staudämmen.

Die Schweizer sollten solche Dämme im Kongo bauen. Wir brauchen Energie. Unsere Bevölkerung wächst rasant, viele können sich jetzt elektrische Geräte leisten. Das habt ihr Europäer noch nicht kapiert. Wir werden das nächste China.

Er trinkt einen Schluck aus seinem Flachmann. Erst jetzt erkenne ich den Goldring an der rechten Hand.

Was wissen Sie vom Kongo, Mister Driver?

Er beugt sich vor, aus seinem Mund entweicht eine Alkoholfahne, in seinem Mundwinkel klebt weißer Schaum.

Ich weiß nicht viel über Afrika. Aber einen von euren Führern habe ich nie vergessen. Er trug eine Leopardenmütze.

Er lacht laut auf.

Sie sprechen von Mobutu Sese Seko.

Genau. Mobutu.

Er ließ Muhammad Ali gegen George Foreman kämpfen. *Rumble in the Jungle*, erinnern Sie sich?

Ja.

Da war ich als Kind dabei, auf dem Schoß meines Vaters, ganz vorne am Ring in Kinshasa.

Ich werfe einen Blick in den Rückspiegel. Monsieur Mutombo streicht sich Schweiß von der Stirn. Er beugt sich vor und berührt meine rechte Schulter.

Unsere Familie saß beim Kampf Ali gegen Foreman neben Jean-Bédel Bokassa aus der Zentralafrikanischen Republik, Kaiser Bokassa. Er hatte eine seltsame Angewohnheit.

Monsieur Mutombo schaut aus dem Fenster.

Er hatte die Angewohnheit, das Fleisch seiner Feinde zu verspeisen. Haben Sie das gewusst?

Ich mustere sein Gesicht. Keine Regung.

Bokassa war kein guter Mensch. Mobutu war anders, emotionaler, er vergoss auch viel Blut unter seinen Feinden. Mit den Schweizern kam er gut klar. Sehr gut. Auch ich fühle mich hier immer sehr wohl.

Er legt jetzt seinen Arm um die Schulter seines Sohnes, streicht ihm mit dem Handrücken über das Gesicht.

Wir sind ein hochemotionales Volk. Das kennt ihr nicht in der Schweiz. Trotzdem habt ihr uns den roten Teppich ausgerollt. Das vergessen wir euch nie.

01:57. Noch zehn Kilometer bis zur Passhöhe. Konzentriere mich auf den Mittelstreifen, über dem ich zu schweben scheine, nutze die gesamte Breite der Straße aus, Tempomat raus.

Sie fahren diese Kurven ausgezeichnet, muss ich schon sagen. Gewöhnlich wird mir schlecht in Kurven.

Der S600 verfügt über ein vorausschauendes Fahrwerk, Sir. Wankbewegungen werden ausgeglichen, Mercedes nennt es *Magic Body Control*.

Magic Body Control? Ha, ha, ha, so ein Fahrwerk besitze ich auch ...

Er klatscht seine Hand auf das Knie seines Sohnes und lacht ihn an. Zahir schiebt seine Hand weg.

Ich studiere die Ränder des Lichtkegels auf dem Asphalt, kämpfe gegen den Blick auf die grünen Ziffern der Digitaluhr in der Windschutzscheibe. Es zieht mich magnetisch an und hinein in eine toxisch fluoreszierende Welt. Ich könnte alle Lichter ausschalten.

Ich spüre Trauer. Die Zeit ist nicht zu stoppen. Ich beuge mich vor, strecke den Oberkörper, Tränen tropfen auf das Touchpad-Lenkrad. Meine Passagiere bemerken nichts.

02:02. Susten Passhöhe. Erkenne unterhalb des Gwächtenhorns Überreste eines Gletschers. Ein Geruch metallischer Exkremente dringt durch die Lüftung.

Was ist das für ein Geruch?

Er beugt sich wieder nach vorne.

Munition der Schweizer Armee. Der Geruch kommt von einem Lager, das hier vor Jahren in die Luft geflogen ist.

Munition? Das soll man noch heute riechen können?

Vierhundert Tonnen Munition. Eine zerstörte Lagerkaverne und ein paar verschollene Leichen sind übrig geblieben.

Leichen, die nicht geborgen werden, sind eine Mahnung an die Lebenden. Haben Sie das gewusst, Mister Driver? Leichen sollten immer geborgen werden, sonst hat das schlimme Folgen für die Lebenden.

Schweigen.

Wissen Sie eigentlich, dass es Mobutu geschafft hat, zweiunddreißig Jahre lang unser damaliges Zaire zu kontrollieren? Mit Hilfe der Schweiz, wenn ich das erwähnen darf. Als ich mal mit meinem Vater in Mobutus privater DC-8 von Genf zurück nach Zaire geflogen bin, bemerkten wir plötzlich, dass er den Jet an der französischen Küste wieder umdrehen ließ, zurück Richtung Schweiz, und zwar um eine Modezeitschrift in Genf zu holen, die Madame Mobutu vergessen hatte. Er nimmt noch ein Fläschchen Cognac aus der Bordbar.

02:20. Kanton Uri. Die Reuss im Meiental. Die Straße durchquert einen ausgetrockneten Morast. Ein Bauer trägt ein Kind über die Straße. Das Kind besteht nur noch aus Haut und Knochen. Die Straße Richtung Göschenen wird von Bergen aufgeschichtetem gelbem Rundholz flankiert. Monsieur Motumbo starrt in den Himmel.

Vor uns die Ortschaft Wassen. Auf dem Wappen erkenne ich einen Bär mit roter Zunge und geschultertem gelben Rundholz.

Jean-Luc hat mir erzählt, Ihre Frau sei vor einem Jahr gestorben. Glauben Sie mir, die Frauen bleiben bei uns. In den Sternen. Es gibt schöne Sterne am Schweizer Himmel. Wie im Kongo. Ich vermute, unsere Länder sind sich viel ähnlicher, als ihr euch das vorstellt.

Das glaube ich Ihnen gerne.

Vor zwei Jahren ist meine Frau in die Schweiz gereist. Sie hatte Krebs. Man hat sie im Insel-Spital in Bern wieder gesund gepflegt. Jean-Luc und seine Fahrer haben sich um sie gekümmert. Meine Frau hatte eine fantastische Zeit in Bern, und in Zürich. Sie war entzückt von der Bahnhofstraße und hat schon bald wieder ihre elegantesten Kleider angezogen, mit Goldschmuck, den ich ihr geschenkt hatte. So ist sie dann bei HSBC einmarschiert, hat mir ein Selfie geschickt. Wie ich gelacht habe. Alles nahm für unsere Familie doch noch ein glückliches Ende. Ich werde es der Schweiz nie vergessen.

02:35. Göschenen. Lüftungszentrale A2. *Mordor*. Reihe den 600er in eine Kolonne von roten Rücklichtern ein. Die Gotthard-Röhre saugt uns auf, siebzehn Kilometer lang, Beton und Fels, mit vertikalen Luftschächten, dreihundert Meter hoch. Monsieur Mutombo ist eingeschlafen. Sein Sohn spielt am iPhone. Er hat noch keinen Blick aus dem Fenster geworfen.

Im Schritttempo durch den Bauch des Gotthard, vor mir ein Lastwagen mit ukrainischem Nummernschild. Die Hitze steigt an.

Ich spüre ihre Lippen, ein Flüstern am Ohr. Ich antworte gegen die Windschutzscheibe, so, dass es meine Passagiere nicht erkennen können.

Glaub mir, Baby, es ist für mich kein Privileg, am Leben zu sein, könnte gut auf mich verzichten.

Die Luft im Gotthard wird dicker. Sie antwortet nicht.

02:51. Knutwiler Höhe. Studiere den Gegenverkehr. Erkenne Gesichter hinter Windschutzscheiben, leuchtende iPhones die Notsignale aussenden. In Abständen von etwa 750 Metern sind Pannenbuchten von drei Meter Breite und 41 Meter Länge vorhanden. Menschen mit Atemschutzgeräten stehen dicht gedrängt beieinander. Alle 250 Meter gibt es Schutzräume mit Überdruckbelüftung.

Kilometer 16. Im heißesten Teil des Gotthards. Alle 125 Meter sind Feuerlöscher und Notruftelefone installiert. Sedierende Dämpfe strömen durch die Lüftung. Im Rettungsstollen stauen sich Menschen. Alle 20 Minuten werden die UKW-Programme unterbrochen, es folgt eine Durchsage auf Deutsch, Italienisch, Französisch und Englisch.

Mein Herz scheint an Umfang zuzunehmen. Vielleicht ist es ihr Plan. Mein Herz wachsen zu lassen, bis ich aufgebe.

Sie legt jetzt ihren Arm um meine Schulter.

Liefere dich dem Leblosen aus, Tom! Schenk der Lebenslüge von der Todesangst keinen Glauben! Lass dich hinüberziehen.

Sie tupft meine Stirn mit kühlender Hand. Meine Hände verkrampfen sich ums Lenkrad, sehe ein blinkendes blaues Licht an den Armaturen, kann es nicht ausschalten. Sie spielt mir neue Bilder zu: Ein Feuerball jagt durch die Röhre. Frontalkollision vor dem Südportal. Nach 100 Sekunden beträgt die Hitze 300 Grad Celsius. Nach 15 Minuten bereits 1200 Grad. Elf Menschen brennen.

Kilometer 19. Zwei hohle, tote Augen auf der Windschutzscheibe. Du kannst den Tod nicht diskriminieren, Tom.

03:02. Airolo. Der Süden der Schweiz. Blitze über der Leventina. Leere Eisenbahnwaggons. Kein Donner. Verfallene Fabrikgebäude, dahinter die Tessiner Berge. Fahrassistent befielt: Reifendruck kontrollieren.

Wo sind wir?

Monsieur Mutombo ist erwacht.

Raststätte Gottardo Sud.

Wieso halten Sie an?

Er blickt durch das Heckfenster.

Reifendruck kontrollieren.

03:12. Ein Berghang oberhalb Quinto.

Was ist das für ein Licht?

Ein altes Sanatorium.

Er schaut in die Schweizer Dunkelheit. Ein rotes Licht schwebt über dem Tal.

Mein Vater war hier stationiert. Schweizer Aktivdienst 1939 bis 1941. Er war Sanitätsoffizier und Kettenraucher. Selbstzerstörung war nie Teil seines Plans.

Mutombo beugt sich nach vorne.

Ich kenne den Tod, Mister Driver. Ich habe als Arzt gearbeitet, bevor ich Politiker wurde. Jeder vierte Bewohner war irgendwo amputiert. Wir haben nur überlebt, weil wir dem Tod etwas Erhabenes abgewinnen konnten.

Erhabenes?

Für meine Vorfahren war der Tod ein Hafen, in dem man essen und schlafen und sich niederlassen kann. Sie haben sich danach gesehnt, zu sterben. Ich finde, die Europäer könnten sich diese Erkenntnis mal zunutze machen.

Was soll das für eine Erkenntnis sein, Monsieur?

Unsere Stammesfürsten nennen es den Triumph des schönen Todes. Der Tod ist weder hässlich noch furchterregend. Der Tod ist schön. Diese Erkenntnis macht stark, die Angst vor der Zukunft löst sich auf. So eine Vorstellung muss es doch auch bei euch geben.

Glaube ich nicht, Monsieur.

03:26. Faido. Ein Fahrzeug des Schweizer Grenzschutzes nähert sich im Rückspiegel. Auf dem Dach ein Suchscheinwerfer. Der Strahl leuchtet die Landschaft ab. Vielleicht fahnden sie nach Flüchtlingen, die die südlichen Grenzen illegal überqueren. Im Scheinwerferlicht verkrümmte Tessiner Bäume.

03:43. Biasca. Erkennbar an grauen Rauchsäulen am Horizont. Bei der Autobahnausfahrt lagert eine Gruppe dunkelhäutiger Männer, sie tragen Mundschutz, blicken nach Norden, über ihnen hängt das Schild »Lukmanierpass«.

Wer sind diese Männer?

Flüchtlinge.

Bestimmt keine Kongolesen. Die flüchten nicht. Wahrscheinlich Nigerianer.

Meine Passagiere schlafen. Vor mir der Monte Ceneri, verdeckt von düsteren Schleiern, dahinter Lugano. Das Geisterfahrer-Warnsignal ertönt.

04:02. Flughafen Agno. Monsieur Mutombo wacht auf. Er wirft einen Blick auf seine Golduhr. Ein Hustenanfall. Er senkt seinen Kopf zwischen die Knie. Sein Sohn bemerkt es nicht, er trägt noch immer Kopfhörer. Monsieur Mutombo würgt.

Respirer, Monsieur! Respirer!

Er atmet tief durch, er schaut mit ängstlichem Blick in meine Richtung. Ich halte den Wagen vor dem Abfertigungsgebäude an. Sein Sohn öffnet die Wagentür und läuft ohne ein Wort auf einen Hangar zu, wo ein Mann in Pilotenuniform wartet.

Merci, Mister Driver, Ihr Fahrstil ist exzellent. Ich werde sie weiterempfehlen.

Monsieur Mutombo zieht den Aktenkoffer mit der angeschlossenen Kette unter seinen rechten Arm. Hinter ihm leuchten die Flughafenlichter, es ist kühl, Nebel schwebt über Agno.

Kommen Sie uns im Kongo besuchen, sagt er. Legt seinen freien Arm um meine Schulter.

Gerade ihr Schweizer seid immer willkommen. Der Kongo ist für die Zukunft unserer Kinder wie geschaffen.

Er zündet sich mit der freien Hand eine Zigarette an, seine Augen leuchten in seinem schwarzen Gesicht, er zieht, atmet tief ein und bläst den Rauch in die Luft.

Vergessen Sie das bitte nie. Die Menschheit entstand in Afrika. 1,75 Millionen Jahre ist das her. Und schauen Sie ab nächstes Jahr NBA, wenn mein Sohn mit den *Chicago Bulls* die Liga aufmischt. Er wirft die Zigarette weg, umarmt mich kurz und verschwindet im kleinen Abfertigungsgebäude.

8

04:10. Ich melde der Zentrale meine Position. Rückfahrt. Beschleunige auf 185 km/h. Richtung Norden. Gotthard. Zurück zu Vince. Lasse das Fenster runter. Sie ist bei mir, ganz sanft halte ich das Lenkrad, schiebe mich näher an sie heran, lasse den Sitz bei Bellinzona zwei Stufen hinunterfahren, Hand zwischen die Beine, streichle das Lenkrad.

Erinnerungen an Barcelona. Sie war achtzehn, ich war einundzwanzig, sie weinte. Noch nie habe ich neben einem Menschen gelegen, der nach dem Sex geweint hat. Ich starrte an die Zimmerdecke, weil es ein unbeschreibliches Gefühl war. Ich konnte mir damals nicht vorstellen, dass sich so was wiederholen würde.

Tessiner Blumenfelder im Morgenlicht. Fantastische Welt. Golden, Weiß, Purpur, wie von unseren Kindern gezeichnet. Glühwürmchen schweben entlang der Autobahn. Ich gleite entspannt in den Gotthard-Tunnel. Erleichterung breitet sich in mir aus. Eine innere Ruhe.

Nina ist Mutter. Sie liegt mit Baby Frank nackt neben mir im Bett. Sie ist so glücklich, dass sie sogar Ratgeber für junge Mütter studiert.

Tom, wusstest du, dass Babys, die im Bett ihrer Eltern schlafen, länger gestillt werden? Sie stören dabei weniger den Schlaf der Mutter und werden wegen der vielen Muttermilch zu intelligenten und sozial starken Kindern. Habe ich nachgelesen. Wir machen alles richtig!

Wir wollen Verantwortung zeigen. Nur das richtige Essen. Kein Fleisch mehr. Die Umwelt schonen. Klavier anschaffen. Auf unsere Gesundheit achten. Unsere Mitmenschen unterstützen, den Schwachen helfen. Keinen Ekel mehr vor dem Leben. Ich schnuppere meinen frischgeborenen Sohn ab. Sein Geruch verbreitet etwas Sakrales. Eine neue Sanftheit im Licht, das durch die Lamellen der Jalousie hineinglüht. Es taucht unser Schlafzimmer in ein weiches Orange. Nina streicht zärtlich mit der Fingerspitze über meine Stirn.

Ich bin so froh, dass wir Frank gemacht haben, sagt sie.

Ich auch.

Gotthard. Tunnelbeleuchtung überflutet den Wagen. Pulsierendes Neonlicht reflektiert im schwarzen Lack der Karosserie, schießt unkontrolliert in meine Augen.

Die ersten Wochen. Franks Schreie hören nicht auf. Irgendwann überlege ich, Trockenfruchtstückchen in seinen Mund zu stecken und seine Nase zuzuhalten. Ich halte die Schreie nicht mehr aus! Ich laufe ans Fenster und beobachte, wie Nina durch unseren türkisfarbenen Community-Pool schwebt, wie eine schöne Leiche. Dann wieder Schreie. Klagende Schreie. Verzweiflung. Was für ein Fehler! Kinder! In einer kaputten Welt!

Ich legte jetzt den Arm um meinen Sohn, halte dazu Ninas Hand fest, und sie fragt:

Zerbrichst du dir wieder den Kopf, Tom?

Nein.

Denkst du, dass dieses Kind ein Fehler war?

Ich denke an nichts.
Du kannst nicht alle Menschen aus deinem Leben ausschließen.
Ich schließe nichts aus.

05:58. Lichter wie bunte Smarties schweben jetzt durch den Gotthard. Funken legen sich auf meine Arme, brennen Löcher in meine Haut. Radar bei Luzern. Mit 165 km/h geblitzt. Trotzdem wird es knapp. Vince erwacht gegen sieben.

Ich gehe raus auf die Straße, weg von der Familie, diesem Baby, fahre und fahre bis Los Angeles aufhört und die Sonora-Wüste beginnt. In so einer Nacht begegne ich Jean-Luc. An einer verlassenen Tankstelle nahe Salton City. Sein Pick-up hat einen Motorschaden. Er ist ein schlanker, drahtiger Mann. Italiener? Israeli? Araber? Seine Gesichtszüge erinnern an Robert De Niro in *Taxi Driver*. Er trägt Surfer-Shorts und ein T-Shirt mit der Aufschrift *Straight Edge*. Auf seiner Haut treten die Venen hervor. Er wirkt älter als ich. Auf der Ladefläche seines Pick-ups liegen drei junge Latinos auf Rucksäcken. Jean-Luc fragt mich, ob ich »seine Leute« nach Downtown fahren könne. Er bietet mir Geld an. Ich willige ein, mir ist alles egal. Ich frage nach seinem französischen Akzent. Er sei in Genf geboren, Sohn eines Iraners. Dann nach L. A. abgehauen, die alte Geschichte. Er gibt mir seine Karte: *Jean-Luc A. T. Nafisi, Century City*. Ich schüttle seine Hand. Er gibt mir für die drei Männer einhundert Dollar. Sie legen sich auf die Rückbank meines Toyota Prius. Sie schlafen ein. Ich fahre zwei Stunden westwärts, bis zu einer Lagerhalle an der South Alameda Street in Downtown. Auftrag erledigt.

Ein paar Tage später meldet sich Jean-Luc. Er zeigt sich großzügig und honoriert meinen Einsatz ein zweites Mal. Er sieht etwas in mir. Schon wieder trägt er das *Straight Edge*-T-Shirt. Er schlägt vor, ihn nach Downtown zu begleiten. In einen Klub für Männer, denen die Welt abhandengekommen sei und die nachts nicht schlafen könnten.

Ich musste lachen.

Die Welt abhandengekommen?

Ja, sagt Jean-Luc.

Eine Geheimloge?

Ein Fight Club, sagt er ernst.

Und, was gibt's dort?

Männer, die sich aus therapeutischen Gründen mit Fäusten blutig schlagen.

Okay, Fight Club kenne ich.

Gehen wir?

Ein Klub für Männer, die nachts nicht schlafen können?

Kennst du dieses Gefühl nicht?, fragt Jean Luc. Wenn etwas an dir nagt, worüber du nicht reden willst?

Kenne ich nicht, log ich. Ich bin Vater, immer auf Achse. So ein Fight Club ist bestimmt nichts für mich. Ich bin trotzdem mitgegangen.

Die Mitglieder des Fight Clubs kommen aus Zentralamerika. Jean-Luc hat sie über die Grenze geholt, später als Fahrer und Personenschützer an reiche Perser weitervermittelt. Wir werden Freunde. Er mag Nina und die Jungs. Er besorgt uns marokkanisches Haschisch. Doch bis heute habe ich nicht herausgefunden, was an ihm nagt und wieso diesen Männern die Welt abhandengekommen ist.

9

07:11. Kasthoferstraße 50. Parke den Wagen. Steige aus. Sehe meinen Nachbarn mit seiner schwarzen Dogge im Hundepark. Er blickt zu mir. Nickt. Ich nicke zurück.

Betrete das Haus. Öffne vorsichtig die Wohnungstür, höre die Dusche, gehe ins Badezimmer.

Hi Vince!

Daddy!

Der Wecker auf meinem Nachttisch setzt ein.

Öffne den Vorhang im Schlafzimmer, betrachte den Himmel über Bern. Eine aschfarbene Decke. Die Bäume werfen schwache Schatten. Mein S 600 steht schräg auf dem Parkplatz. Ich kontrolliere Franks Instagram Account. Nichts.

Ich gehe zurück ins Bad, wasche mein Gesicht, es bleibt keine Zeit zu duschen. Statt meine Zähne zu putzen, kaue ich Trockenfruchtstücke, spüle mit Leitungswasser nach.

Vince steht vor mir, umklammert mich.

Wo warst du letzte Nacht?

Ich war hier, bei dir.

Ich habe nichts gemerkt. Sonst legst du dich doch immer noch zu mir.

Gestern Nacht habe ich gelesen. Alte Tagebücher, die Mama geschrieben hat.

Ich gehe in die Küche, ziehe das Blech mit den Croissants aus dem Ofen.

Was hat Mama in ihre Tagebücher geschrieben?

Gedanken. Meistens schreibt sie davon, wie ihr euch so entwickelt. Eure Körper. Neue Wörter sagt und schöne Dinge erkennt. Wie ihr lacht. Bin gerade bei einer Stelle, wo Mama von der Schönheit der Schweiz schwärmt. Sommer 2001. Frank ist drei Jahre alt. Und dich gibt es noch nicht.

Was hat sie geschrieben?

Sie schreibt von Bergen, Gletschern, wilden Bächen und unseren Wäldern mit all den Tieren und Pflanzen.

Hat sie damals erwähnt, dass dies jetzt alles bedroht ist?

Mit keinem Wort.

Vince beißt in ein warmes Croissant.

Dad, hast du herausgefunden, wie unser Nachbar aus der Nummer 48 heißt?

Nein.

Er hat mich gestern wieder angesprochen. Ob ich lieber Fußball oder Basketball spiele.

Und? Was hast du gesagt?

Basketball.

Und er hat mich gefragt, in welche Schule ich gehe.

Du brauchst nicht zu antworten, Vince.

Ich schalte die internationalen Nachrichten auf SRF 4 ein.

Weißt du, heute halte ich einen Vortrag in der Schule. Es geht um die Farbe Schwarz.

Ihr redet über Farben?

Ja.

Deine Lieblingsfarbe war doch immer Blau.

Ich versuche zu beschreiben, was das schwärzeste Schwarz ist.

Wie bist du denn auf so ein finsteres Thema gekommen?

Ich musste daran denken, dass du immer Schwarz trägst.

Hast du was dagegen?

Vince lacht.

Nein, darum geht es nicht beim Vortrag.

Was denn?

Die Umschreibungen für das schwärzeste Schwarz sind alle falsch. Tintenschwarz, Rabenschwarz, Pechschwarz, Kohlschwarz. Der richtige Name für das schwärzeste Schwarz ist aber *Vanta-Black*.

Vanta?

So heißt eine künstlich hergestellte Farbe, die Licht schluckt und dadurch alles Dreidimensionale verschwinden lässt.

Darüber hältst du heute einen Vortrag?

Ja. Flächen die mit *Vanta*-Schwarz überzogen sind, wirken wie … wie … ausgeschnitten aus der Wirklichkeit.

Darüber habt ihr gestern in der Schule gesprochen?

Meine Lehrerin fand das Thema gut. Dann habe ich recherchiert.

Ich starre aus dem Küchenfenster Richtung Jura.

Wie bist du darauf gekommen?

Wegen *Call of Duty*. Ich hatte kürzlich einen Gegner, der konnte sich tarnen. Mit einer schwarzen Tarnfarbe. Dann habe ich das recherchiert.

Mit wem spielst du *Call of Duty*?

Keine Ahnung. Kann irgendjemand sein auf der Welt.

Könnte ein Taliban-Junge sein, falls der so was spielt, oder eine Bankerin aus New York?

Ja, theoretisch schon. Wäre *Vanta*-Schwarz nicht was für deine Limousinen?

Was hätten wir davon? Unsere Wagen sind doch schon schwarz.

Du könntest alles Licht absorbieren.

Das klingt nach einem Plan.

Wir stellen uns auf den Balkon. Ich lasse langsam meinen Kopf kreisen.

Vince starrt Richtung Alpen. Gleich muss er los.

Ich brauche Schlaf.

Vince umarmt mich.

Ich werde meinen Vortrag dir widmen, Dad. Gewidmet ist dieser Vortrag meinem Vater, werde ich sagen, einem Mann, der immer Schwarz trägt.

Weißt du eigentlich, dass deine Grandma als Heidi Schwarz geboren wurde?

Nein. Wieso erzählst du mir das erst jetzt?

Vince ist gegangen, liege nackt im Bett, massiere meinen Nacken. Er wünscht sich Ausflüge mit mir in die Umgebung. Er will die Schweiz kennenlernen. Am Tag. Im Licht. Erinnert mich an *Stranger Things* auf Netflix. Aber Hawkins, Indiana, ist nicht Bern. Meine neue Heimat sind die Schweizer Straßen. In Gedanken bereite ich mich auf die nächsten Fahrten vor. Streiche über meine Arme, rotiere die Handgelenke. Heute Nacht: Andermatt. Kurierdienst um 23:30 Uhr. Morgen Abend an die italienische Grenze. Auftrag der Somalischen Botschaft. Somalia sei ein langes, schmales Land am Horn von Afrika, sagt Jean-Luc. Ein Land mit wunderschönen Frauen. Schließe die Augen.

Abendessen am kleinen Ausziehtisch in der Küche. Trage einen Trainingsanzug der französischen Marke *Technifibre*. Fülle einen Teller mit Spaghetti Carbonara.

Wieso warst du letzte Nacht nicht zu Hause?, fragt Vince.

Ich war zu Hause.

Nicht als ich aufgewacht bin und in dein Zimmer geschaut habe.

Ich besuche manchmal eine Freundin. Hab ich dir schon gesagt.

Du hast eine Freundin?

Manchmal, ja.

Wann stellst du sie mir vor?

Zum richtigen Zeitpunkt.

Vince starrt auf sein iPhone.

Ich öffne das Einschreiben des Jugendamts. Vorladung.

Vince stochert abwesend in seinem Essen.

Wie ging es eigentlich mit deinem Superschwarz-Vortrag?

Fantastisch.

Schon eine Note?

Nein. Aber das ist gerade nicht wichtig, Dad.

Was ist wichtig?

Frank meldet sich nicht. Weder auf Instagram noch auf Whatsapp.

Mach dich nicht verrückt, Vince. Frank wird sich schon melden.

Machst du dir keine Sorgen?

Doch. Aber da sind ein paar Leute, die werden sich jetzt kümmern.

Was für Leute?

Freunde von Jean-Luc.

Und denen vertraust du?

Ja.

Wir räumen Geschirr ab, legen uns aufs Sofa, schauen fern.

23:15. Mercedes, fahr mich nach Andermatt.

A1 und A2. Ich höre Elektro. Richtung Innerschweiz liegen die Autobahnauffahrten symmetrisch schön wie Schleifen in der leeren Landschaft. Ordnung, Symmetrien, regelmäßige Proportionen. Ich brauche das. Mit dem S 600 fühlt es sich an, als würde ich schweben. Hinter Luzern glitzert der Vierwaldstättersee im Mondlicht, als ob es dort von Leuchtkalamaren wimmelt. Weißschäumender Wasserfall in der Dunkelheit. Altdorf. Das Wasser stürzt über Felsklippen und Berghänge in die Täler des Kanton Uri. Die tiefe Stimme meines Vaters ertönt wie das Brausen einer Orgel. Seine Stimme lässt alles um mich verschwimmen. Will mich nicht einlassen.

Hörst du das Wasser? Der Tod fließt im Schweizer Wasser, und immer Richtung Norden.

Was meinte er damit?

Wenn er so geheimnisvoll sprach, hatte er bestimmt ein bisschen zu viel getrunken. Dennoch trug mein Vater alles, was er sagte, mit Eleganz und Selbstironie vor. Man fühlte sich verdammt sicher bei ihm, und das war keine Halluzination. Er war ein Mann der Fünfzigerjahre, geboren 1917, immer einen Drink in der Hand, eine Zigarette zwischen den Lippen wie Dean Martin. Er erzählte oft von der Dolce Vita in unserem Süden. Von Polenta und Boccalino. Lustigen Tessinerinnen in bunten Röcken.

00:55. Verlasse die Autobahn bei Wassen. Abzweigung Gotthard-Pass, Andermatt, Hospental. Das Läuten von Kuhglocken in der Dunkelheit. Versuche, die Gedanken umzuleiten. Starre auf die Mittellinie. Den Blick konstant auf der durchgezogenen Linie halten. Stimmen ignorieren. Ich habe in den letzten Monaten viele Passagiere von Bern über Luzern in unseren Süden gefahren. Meistens Afrikaner. Sie lassen sich nicht wegen der Dolce Vita, Polentas und Boccalinos ins Tessin fahren. Viele führen Aktenkoffer bei sich, manchmal ans Handgelenk gekettet. Ist mir egal, was meine Passagiere tun. Ich bin diskret und freundlich, biete auf Wunsch Drinks, Snacks und internationale Zeitungen an: die *Neue Zürcher Zeitung*,

Süddeutsche Zeitung, FAZ, Mineralwasser, Gin Tonic oder Trockenfrüchte. Die Zeitungen bleiben meistens ungelesen liegen. Erreiche gegen 01:15 Uhr The Chedi Andermatt, ein Fünfsterne-Ressort, gebe ein Paket auf den Namen *Mister Yunfeng Gao* an der Rezeption ab. Das ist alles.

Die Rückfahrt nach Bern bleibt ohne besondere Vorkommnisse.

Kein Nachdenken. Keine Bilder. Nichts. Ich sitze während der ganzen Fahrt auf dem Grund eines Bergsees. Ich bin glücklich, schaue einfach den aufsteigenden Luftblasen nach.

Stille beim Frühstück. Vince schaufelt Cornflakes in seinen Mund. Schalte das Radio über mein iPhone ein. SRF 4. Ein Doktor Largo, Kinderspital Zürich, spricht: … *alles dreht sich um die Mutter. Sie ist die Erste, die ihr weinendes Baby mit ihrem Gesicht, ihrer Stimme, mit der Milch beruhigen kann* …

Können wir was anderes hören, Dad?

Moment noch.

… *Babys sind Mütterexperten. Schon Embryos werten die mütterliche Chemie aus, registrieren Lautäußerungen der Mutter* …

Das glaube ich nicht. Wenn das so wäre, dann wären wir jetzt beide hinüber.

Rede keinen Blödsinn, Vince. Willst du noch mehr Milch in deine Cornflakes?

Nein.

Willst du noch eine Banane?

Nein, Dad.

Weißt du, Mama hat immer gesagt, je sicherer du dich mit uns fühlst, desto größer ist später dein Selbstvertrauen, die Welt zu erforschen. Findest du doch auch, oder, Vince?

Weiß nicht. Ich war noch nie wirklich in der Welt draußen.

Doch. Die Welt beginnt vor der Haustür.

Nein, die Welt beginnt hier auf meinem Handy. Und darum weiß ich die Dinge, von denen du keine Ahnung hast.

Was denn, Mister Knows-everything?

Die glücklichsten Kids sind die, die viel dürfen. Das habe ich gelernt. Viel dürfen macht Kids stark.

Okay. Aber viel dürfen heißt dann eben auch, die Geschirrspülmaschine ausräumen.

Ach, Dad, du redest wie alle anderen.

Wie wer?

Wie alle.

Ich will ja nur, dass du smarte Entscheidungen triffst.

Das sagen alle Eltern.

Frank hat das auch geschafft.

Er ist achtzehn, ich bin zwölf.

Aber er sitzt mit achtzehn schon allein in Los Angeles. Und offenbar kommt er ganz gut klar. Sonst würde er sich öfter melden.

Das hältst du für ein gutes Zeichen?

Ja.

Aber ein bisschen nervös bist du schon, Dad. Sieben Tage hat er sich jetzt nicht mehr gemeldet.

Ich bin nicht in Panik. Vielleicht ist er irgendwo unterwegs, wo es keine Internet-Verbindung gibt.

Okay, Dad. Du bist nicht in Panik.

Wir sitzen noch eine Weile in der Küche. Ich halte seine freie Hand, reibe seine Finger. Aus seiner anderen Hand ertönt *Call of Duty*.

10

Ich schaue aus dem Küchenfenster, bevor ich die Lichter lösche. Ein Polizeiwagen auf der Kasthoferstraße. Der Nachbar aus der 48 steht im Trainingsanzug neben einem Beamten. Sie reden miteinander, als wären sie alte Bekannte. Frau Furgler aus dem vierten Stock trägt gerade ihren hellblauen Abfallsack zum Container. Das ist ungewöhnlich für diese Zeit.

Ich gehe in Vincents Zimmer und setze mich auf sein Bett. Vince will noch eine Harry-Potter-CD zum Einschlafen. Er hat die CD schon unzählige Male gehört. Ich schalte das Licht im Kinderzimmer aus. Lege mich neben ihn, streichle seine Brust.

Dad, wieso ist Mama für mich die schönste Frau der Welt?

Ist sie das?

Ja. Warum?

Keine Ahnung. Vielleicht, weil du sie immer noch sehr, sehr gerne hast.

Aber sie ist nicht mehr bei uns.

Weißt du, vielleicht liebt man das am stärksten, was man nicht sehen kann.

Was man liebt, ist unsichtbar?

Ja.

Kapier ich nicht, Dad.

Good night, Vince.

Ich schalte alle Lichter in der Wohnung aus. Nur eine Kerze neben Ninas Bild auf dem Schreibtisch brennt.

Auf Netflix läuft *Planet Erde*. Ich setze mich aufs Sofa, trinke drei Tassen Espresso, schlucke eine rote Pille. Seelöwen stürzen einen Abhang herunter. Eisbären jagen Pinguine.

23:42. Fahrt nach Como. Passagierin aus Somalia erwartet mich. Kein VIP-Status. Adresse zeigt ein Industriegebiet am Stadtrand an. Ungewöhnlicher Treffpunkt. Ich könnte die Strecke zwischen Bern und Airolo blind fahren. Kenne alle wichtigen Ortsnamen, Ausfahrten, markanten Gebäude dieser Landschaft, habe schon bei allen Raststätten auf der A2 Halt gemacht und mich mit den Kassenfräuleins auf ein Gespräch übers Wetter eingelassen. Das Wetter ist mir so was von egal. Der S 600 lässt sich bestimmt in ein Amphibienfahrzeug verwandeln.

01:13. Gotthard-Tunnel. Könnte meine Augen schließen. In meinem Kopf ist alles leer. Keine Bilder von Nina.

01:32. Am Ende des Tunnels in Airolo muss ich an Mutter denken: Fenster runter! Frische Luft! Atme die frische Luft ein! Spürst du, wie der Duft des Südens durch die Täler weht?

Nein, antwortete ich jedes Mal. Ich spüre nichts.

Oh Mutter, Adelheid, Tochter von Lilly und Paul aus Zürich-Altstetten. Wieso muss ich jetzt an euch alle denken?

Im Tessin blüht meine Mutter auf. Sie beginnt zu malen. Sie malt die Landschaft in den üppigen Farben des Schweizer Südens. Für Großmutter Lilly ist das Tessin der märchenhafte Orient, eine fremde, warme Welt. Für Großvater Paul ist es Rückzugsort für Extremisten aller Art, Basisstation für illegale Finanzaktivitäten, in die er selbst verwickelt sei, erzählte Mutter, die immer schlecht von ihrem Vater sprach. Aber ich glaubte ihr kein Wort. Großvater habe immer wieder Besuch von deutschen Freunden empfangen, und ihnen zu Wohnungen und Bankkonten verholfen. Es gab welche, die wollten in der Schweiz sterben. Auch dabei habe er ihnen geholfen.

Ich glaubte ihr nicht. Mein Großvater hat mir die erste Modelleisenbahn geschenkt.

Mutter erzählt immer wieder von Tessinerinnen, die vor ihrem Haus Kastanien sammeln, in Grottos Merlot im Boccalino auftischen, Polenta kochen, lustig mit den Zoccoli klappern. Chaos gibt es in unserem Süden nicht. Hier herrscht Heiterkeit und Ordnung. Das Tessin ist sanftmütig und zuverlässig, ein Hafen der Glückseligkeit, sagt Lilly, meine Großmutter. Paul zeigt uns die Häuser deutscher Schriftsteller, von denen er wahrscheinlich keine Zeile gelesen hat. Hermann Hesse ist nicht der Einzige, Kurt Tucholsky macht hier Station, Thomas und Golo Mann, Bertold Brecht, Erich Kästner, Erich Maria Remarque, Ernest Hemingway.

01:53. Nahe Bellinzona. Ninas Stimme kehrt zurück. Es passiert in einem kurzen Tunnel.

Trockenfrüchte, Tom. Leg mir ein Stück auf die Zunge, bitte. Wie früher. Dann legst du dir ein Stück auf die Zunge. Komm zu mir.

01:55. Bilder eines Tessiner Blumenfeldes. Bilder im fluoreszierenden Licht. So herrlich schön in meinen Erinnerungen. Es gibt eine Schönheit der Welt, erklärt mir die Stimme meines Vaters. Daran musst du weiterhin glauben, Tom. Das bist du deinen Söhnen schuldig.

02:24. Chiasso. Italienische Zöllner winken meinen Wagen durch. Die Grenze überquert, gleite ich durch eine Nebenstraße auf italienischer Seite, eine Gegend mit Lagerhallen und Lastwagen. Melde meinen Standort an die Zentrale. Bekomme neue Informationen zum Treffpunkt.

02:42. Passagierin aufgespürt. Kontrolliere Treffpunkt auf Google Maps. Alles korrekt. Industriegebiet. Wende in einer Seitenstraße, wo eine Kleinstadt aus Pappkartonbuden und Wellblechfestungen steht. Afrikaner liegen in Schlafsäcken am Boden. Zwischen Müllcontainern. Meine Passagierin sitzt zusammengekauert am Straßenrand. Eine Militärwolldecke über Kopf und Schultern. Sie hält ihr schwarzes Gesicht über ein Handy gebeugt. Ihre Nikes sind schlammverkrustet, die langen Beine stecken in engen Jogginghosen mit Neonstreifen. Ich fahre meinen Wagen langsam vor, halte an, lasse das Fenster runter und rufe den Namen, den mir Jean-Luc genannt hat:

Aamiina?

Erschrocken schaut sie unter der Wolldecke hervor, reagiert nur zögernd. Vorsichtig richtet sie ihren langen, dünnen Oberkörper auf. Ihre Augen suchen die Umgebung ab.

Aamiina?

Sie streckt ihren Hals, beugt das Kinn, sie steht auf, sie ist riesig. Die Wolldecke rutscht vom Kopf, und ein rotes Kopftuch kommt zum Vorschein. Unter ihren Augen glänzt golden verschmiert Mascara, kleine Wunden auf der Stirn. Ihre nackten Arme weisen helle Flecken auf, könnten Verbrennungen sein. Eine Haut von dem schwärzesten Schwarz, das ich je gesehen habe. Das Weiß ihrer Augen leuchtet wie ein Notsignal.

Ich steige aus, laufe um den Wagen, öffne die Hintertür des S 600, signalisiere ihr, sie solle sich beeilen.

Plötzlich duckt sie sich, als ob sie Schüsse hört. Aber da ist nur das Knattern eines Motorrads, das wie ein Rieseninsekt an uns vorbeirast. Ich biete ihr meine Hand an, führe sie vorsichtig zum Wagen, spüre ihre kräftige Muskulatur. Ein metallischer Geruch geht von ihr aus, als ob sie tagelang in einem Container gelegen hätte. Ich drücke ihren Kopf unter den Türrahmen, helfe ihr auf die Rückbank und werfe die Tür zu. Dann steige ich ein, blicke in den Rückspiegel. Nichts.

Die junge Frau klammert sich an ihre Wolldecke. Sie lässt ihren langen Oberkörper zur Seite fallen, legt sich auf die weichen Ledersitze und sagt dann ihre ersten Worte in gebrochenem Englisch mit afrikanischem Akzent: *Thank you, Sir!*

03:05. Erstmals kaue ich eine blaue Pille. Keine Probleme an der Schweizer Grenze. Zöllner winken uns durch. Passagierin sitzt bewegungslos im Fond, ihr Blick wandert durch das Wageninnere. Dann schaut sie auf ihr Handy, ein *Motorola*-Flip-Phone. Richtung Norden sind jetzt nur wenige Lastwagen zu sehen. Lange Reihen von Straßenlaternen leuchten die leere A2 aus. Ich muss an Zugvögel denken, die wegen Lichtemission die Orientierung verlieren, an Millionen Insekten, die im Licht verbrennen. Seit wann interessiere ich mich für Insekten?

Eine Drohne der Schweizer Luftwaffe dreht endlose Kreise über alte Schmugglerrouten.

Meine Passagierin versucht jetzt, die Mercedes-Leselampe einzuschalten. Dann blickt sie aus dem Fenster in die Dunkelheit des Schweizer Südens. Sie spricht mit sich selbst. Die Silhouette des Monte San Salvatore taucht auf, thront über der Seeenge von Melide, ein Damm, der den Lago Lugano teilt. Ich biete der Frau Trockenfruchtstückchen an. Sie studiert die Packung, auf der in orange

Migros steht. Dann nimmt sie ein Aprikosenstück aus der Packung, legt es vorsichtig auf die Zunge. Sie blickt aus dem Fenster, über das Seewasser, das gelobte Land in Düsternis gehüllt. Ich rieche ihren Schweiß.

03:21. Ein oranger Lichtschein. An den ausgedörrten Hängen des San Salvatore brennt ein kleines Buschfeuer. Meine Passagierin richtet jetzt den Blick auf das Armaturenbrett und starrt auf das Foto.

Am Hügelrücken taucht eine Kirche auf, Madonna d'Ongero, Hermann Hesses Lieblingsplatz, behauptet Google. Ich wische auf dem iPad zurück zu Facetime, als ob es dort Neuigkeiten gäbe.

Passagierin blickt aus dem Fenster.

Switzerland?, fragt sie plötzlich.

Ja.

03:32. Tunnel Monte Ceneri. Passagierin ist eingeschlafen. Ihr entfährt ein kurzer Schrei. Vielleicht hätte ich sie mit einer Tessiner Anekdote aufheitern sollen: *Unser Capri vor der Haustür*, so nannte Mutter die Tessiner Stimmung, die sie in ihren Zeichnungen verewigte. Eine südländische Schweiz mit tiefblauen, palmengesäumten Seen, Magnolien und Kamelien, weiß gepuderten Bergspitzen.

Sie breitet jetzt im Halbschlaf ihre Arme aus, wie ein schwarzer Engel. Sie spricht im Traum, womöglich in somalischer Sprache. Ich halte mein Tempo konstant bei 160 km/h, wische E-Mails und Whatsapps über mein Pad.

Haushälterin kündigt sich für morgen Vormittag an. Nachricht des Berner Jugendamts: bitten um Rückruf. Von Frank: nichts.

04:09. Quinto. Letzte Ausfahrt vor dem Gotthard-Tunnel. Entscheide mich für eine Passfahrt nach Bern.

Verrück geworden, Tom?

Vielleicht um meiner Passagierin die Berge zu zeigen.

Verlasse die Autobahn, fahre Richtung Nufenenpass, dringe in unbekanntes Gebiet vor: Val Bedretto. Menschenleere Dörfer, erleuchtet wie Grenzbefestigungen, Straßen flankiert von Jesus-Kreuzen, Kerzen und Blumen. Helles Glockenläuten in der Dunkelheit. Bergziegen bewegen sich wie in Zeitlupe über Nufenenpass. Steuere den Wagen vorsichtig durch Haarnadelkurven. Unter uns die Lichter von Ullrichen, das Obergoms. Im Winter droht hier der weiße Tod von den Hängen mit meterhohem Schnee, hat mir Vater immer erzählt. In den Dörfern werde es dann still, selbst die Glocken müssten schweigen, aus Furcht, Geräusche könnten Lawinen auslösen. Schon im Sommer bereiteten sich die Menschen auf den Winter vor. Immer vorsichtig und vorausschauend. Die Gegenwart existiert nicht.

Ich glaubte ihm kein Wort.

05:13. Grimsel. Der Totensee glänzt eisig, spiegelt den Mond und die Sterne über den Berner Alpen. Halte den Wagen dicht am Wasser. Starre in das grün fluoreszierende Licht auf der Frontscheibe. Totes Wasser fließt von hier südwärts bis zum Mittelmeer, nordwärts wird Energie für Schweizer Haushalte produziert. Im Frühling 1973 nimmt mich mein Vater ein letztes Mal mit an den Totensee, er hat nur noch drei Wochen zu leben. Wir werfen Steine ins Wasser, schauen den Ringen zu. Mein Vater spricht mit sich selbst. Er gibt Antworten auf Fragen, die nur er hören kann. Er hört Stimmen im See. Ich bin für ihn Luft. Die Lebenden interessieren ihn nicht mehr.

Die Grimsel erscheint jetzt als sanfter Übergang. Es ist ein alter Saumpfad. Napoleons Truppen sammelten hier Kräfte, russische Soldaten starben im Eiswasser. Vielleicht hörten sie Stimmen und sind ihnen gefolgt.

Gib dem Tod den Vorzug. Glaube an den Tod. Der Tod ist Schlaf.

Am Ufer riecht es faulig, der Geruch dringt durch die Mercedes-Lüftung. Ganz nah am Totensee liegt ein Felslabor. Dort werden Experimente an kristallinem Gestein durchgeführt, zur Endlagerung von radioaktiven Abfällen.

Meine Passagierin liegt mit angezogenen Beinen auf der Rückbank. Sie ist aufgewacht, wiegt sich. Wir gelangen in offenes Land, Asche und Staub schweben über der Passstraße talwärts, überziehen den Wagen mit einer grauen Decke.

Ich streiche Tränen über mein Gesicht, als ob sie wertvoller Balsam wären, ein Geschenk von Nina.

06:25. Regen über Bern, ein Vorhang aus Wasser. Am Casinoplatz tauchen wir in die Tiefe. Amal erwartet mich, er weist mir einen Parkplatz zu. Inspektion. Ich ziehe die Handschuhe aus, schaue auf meine Handflächen. Ich öffne meiner Passagierin die Tür. Jean-Luc kommt auf uns zu und nimmt Aamiina in die Arme, er küsst sie auf die Stirn. Er führt sie in sein Büro, er gibt ihr Berner Wasser, sie trinkt das Glas leer. Sie kniet sich auf den Boden. Ihr Gesicht ist versteinert, nur ihre Lippen bewegen sich. Sie betrachtet ihre Handflächen, studiert ihre Finger. Während sie betet, zieht mich Jean-Luc zur Seite.

Alles okay mit dir?

Alles okay. Aber wer ist diese Frau?

Lange Geschichte, Tom.

Sie sieht ziemlich fertig aus, Jean-Luc.

Du solltest dich nicht um diese Dinge kümmern. Er entfernt sich einige Schritte von mir. Steckt sich eine Zigarette an. Ich habe ihn schon lange nicht mehr rauchen sehen.

11

Ich liege neben Vincent, will ihn riechen, drücke meine Nase in sein Kissen. Denke mich langsam in den Schlaf. Licht dringt durch den Vorhang, ein Streifen auf der Wand. Ganz fern das Rauschen der A6, ein Kind schreit im Nachbarhaus. Irgendwo schlagen immer Herzen mit Zukunft. Gibt es eine Zukunft für uns?, fragt Vince manchmal.

Seit acht Tagen nichts mehr von Frank gehört. Strecke meine Beine, betrachte Ninas Fetische im Kinderzimmer: Knochen aus Baja California, eingetrocknete Käfer, Sandrosen, ausgetrocknete Eidechsen, Schwemmholz, ein Stück Berliner Mauer, eine Silberdose, die etwas von ihrer Asche enthält. Vince nahm die Sammlung beim Umzug mit, verteilte die Stücke in seinem Zimmer. Jetzt strahlen sie uns an. Sollten wir ihre Sammlung nicht besser im Keller bunkern?

Als ich mit Vince darüber sprach, klang es, als wollte ich ihn vor Drogen warnen. Du weißt nicht, wohin das alles führt. Ich erinnerte mich an den Duft ihres Nachthemds, das noch immer in einer Schachtel zwischen meiner Unterwäsche liegt.

Vince meint, ihm würden diese Fundstücke guttun. Er könne Mama besser spüren. Vielleicht hält Vince den Schlüssel zu meinem Glück. Es muss eine Zukunft für uns beide geben.

Denkt einfach an Mama, bevor ihr einschlaft. Denkt an den letzten Kuss und daran, dass das Leben nicht gerecht ist.

Dämmerung, Schatten ziehen vorbei, Geräusche von einer Baustelle, Flugzeuge starten vom Flugplatz Belpmoos. Das Berner Leben ist erwacht. Vince bewegt sich, sucht meine Hand. Ich schüttle ihn ab. Besser aufstehen. In meinem Hirn trommelt plötzlich eine Wut. Wieso hat die tote Nina diesen Einfluss auf uns?

Die Wut steigt in den Kopf und ist von dort direkt mit meiner Lust verbunden. Wie fühlt sich so was an? Wie eine göttliche Energie. Ich könnte dazu onanieren. Lieber blöder Gott, gib mir jetzt zum Frühstück einfach einen Körper. So wie früher, als Nina noch lebte.

Die Morgenstunden waren unsere beste Zeit. Sie lag nackt neben mir. Ich schaute sie schlecht gelaunt an. Dann ließ sie mich in ihren Körper hinein. Es war eine stille Abmachung. Sie machte uns beide glücklich.

So starre ich noch eine Weile an die Decke des Kinderzimmers, drücke ein Kissen auf meinen Mund und hoffe, im Dämmerschlaf nicht laut zu sprechen, damit Vince nicht hört, was sein Vater sieht.

12

Vince ruft mich ins Badezimmer.

Wie sehe ich aus, Dad?

Sehr gut. Wie immer.

Ich habe hier Flecken im Gesicht entdeckt. Was könnte das sein?

Nichts. Vergiss es.

Diese Flecken hatte Mama auch. Gleiche Stelle. Was bedeutet das?

Gar nichts. Die verschwinden wieder.

Glaube ich nicht.

Es gibt Wichtigeres als das Aussehen, Vince.

Was denn?

Zum Beispiel, was Menschen sagen oder tun.

Glaube ich nicht. Aussehen macht glücklich.

Schweigen.

Kann ich Basketballshorts anziehen?

Verrückt geworden? Es wird heute nicht wärmer als zehn Grad.

Ist mir egal.

Okay, dann trag die Basketballhosen, und wenn dir kalt wird, ziehst du die lange Trainingshose an. Die nimmst du in deinem Schulsack mit!

Schweigen.

Vince gibt mir einen Kuss, er lacht mich an, das Leben ist schön, er wirft mir den Basketball zu, wir lachen uns an.

Wollen wir mittags spielen?

Geht nicht, Vince. Mittags arbeite ich. Und du bist beim Mittagstisch im Restaurant Murifeld angemeldet.

Er winkt mir zu. Er schließt die Haustür.

Lege mich wieder ins Bett, ziehe die Vorhänge zu, schließe die Augen.

Eine Stunde später betritt meine Haushälterin Janine die Wohnung. Die Wohnungstür ist offen. Sie schaltet das Licht an, legt ihre Tasche ab, geht in die Küche und macht sich einen Kaffee, wie immer. Fünf Minuten später beginnt sie, die Wohnung zu putzen. Sie weiß, dass ich mithöre. Ich lasse meine Schlafzimmertür immer einen Spaltbreit offen. Ich höre alles. Sie wird versuchen, das Zimmer von Vince aufzuräumen, obwohl ich ihr schon öfter gesagt habe, dass er das selber tun muss. Sie wird den Staubsauger nehmen und damit gut fünfzehn Minuten durch die Wohnung laufen. Erst ganz am Ende putzt sie mein Schlafzimmer. Sie bewegt bestimmte Bücher in eine andere Position. Sie stellt Fotos um, sodass sie mir auffallen. Zum Beispiel das Bild mit Nina und den Jungs vor einem großen Felsen im *Joshua Tree National Park*. Sie bügelt Hemden, obwohl ich ihr gesagt habe, dies nicht zu tun, das sei zu beschwerlich. Sie tut es trotzdem und hängt meine schwarzen Cowboyhemden ganz nach vorn, sodass ich sie sofort bemerke. Sie hat eine kleine Schmuckschatulle im Küchenschrank entdeckt und auf meinem Nachttisch deponiert. Die Kiste enthält Ringe und Ketten, Ninas Broschen und Ohrringe. Es gibt einige prächtige Exemplare, die ich in Nashville gekauft habe, im gleichen Laden, wo Johnny Cash seine Ringe kaufte.

Janine schenkt meinen persönlichen Dingen neue Aufmerksamkeit, wertet alles auf magische Weise auf. Es macht mich glücklich.

Wenn sie durch die Wohnung läuft, hört sie einen Song von

Beyoncé über ihren Kopfhörer, sie leert die Geschirrspülmaschine, dann geht der Staubsauger wieder an. Alle Geräusche setzen Erinnerungen frei. Ich glaube sogar, sie macht es absichtlich. Zum Beispiel, wenn sie das Besteck in die Schublade räumt. Dann sehe ich, wie Nina und ich beim Mittagessen sitzen, vor unserem ersten gemeinsamen Fernseher in Westberlin, 1988.

Auf ARD läuft *Meister Eder und sein Pumuckl*, danach die *Lindenstraße*. Wir essen, wir lachen unseren Fernseher an, reden nicht viel. Ab und zu blicke ich auf und schicke ein Lächeln über den Tisch. Ich liebe ihren Schmollmund, ihr kränkliches Gesicht, die männliche Nase, den Pagenschnitt. Sie beklagt sich über dieses und jenes.

Zu viel Rahm in der Sauce, Tom.

Du isst zu viel Fleisch, Tom.

Der Wein ist zu billig, Tom.

Sie gibt sich prinzessinnenhaft, dabei mag sie es, wenn ich Unterhemd und Hosenträger trage, billigen Wein aus einem Plastikbecher trinke, den Berliner Proll markiere. Ich bin fünfundzwanzig, sie ist einundzwanzig. Wir kennen uns erst drei Jahre. Irgendwann steht sie auf, wischt die Fensterscheiben in der Küche sauber und blickt hinaus auf die S-Bahn-Station Yorckstraße. Sie sagt dann so rätselhafte Dinge wie: Ja, es ist schön neblig hier in Berlin. Richtig dicker Nebel. Dann senkt sie ihren Blick mit einer Traurigkeit, die mir sehr gut gefällt.

Ich höre jetzt, wie Janine in meinem Zimmer wischt. Manchmal bilde ich mir ein, dass sie den Besen an die Wand gegen die Wellenmuster der japanischen Tapete stellt und sich neben mein Bett kniet.

Sie nimmt dann meine Hand und streichelt zuerst den Handrücken. Sie fährt mit ihrem Finger zwischen meine Finger.

Sie hat jetzt meine Hand gedreht und in ihre Hand gelegt. Janine versucht, meinen Lebenslinien in der Handfläche zu folgen. Vielleicht will sie mir helfen, meine Zukunft zu deuten. Vielleicht will sie mir auch bloß neues Leben einhauchen. Dabei lebt sie in einer Beziehung mit unserem sudanesischen Fahrer Willi. Sie ist unberührbar.

Trotzdem streichelt jetzt ihr Zeigefinger über meine geöffnete Hand, und sie fragt:

Glauben Sie wirklich, Tom, wahre Liebe gehe über den Tod hinaus?

Ich blicke hellwach in ihr Gesicht, in zwei blaue Augen.

Ein Engel.

Und der Engel spricht jetzt in die Dunkelheit:

Ist es nicht die Vergänglichkeit, die der Liebe ihre Bedeutung gibt? Wäre sie endlos, würde sie uns nicht so berühren, wie sie es tut.

Ich lege meinen Kopf zurück. Der Engel verschwindet in der Seigaiha-Tapete, zwischen japanischen Ozeanwellen.

Ich schließe die Augen.

17:05. Die Tür geht auf. Vince ist zurück von der Schule. Alles passt. Ich bin frisch geduscht, das Bett gemacht, Badezimmer gelüftet, es laufen die Fünf-Uhr-Nachrichten der ARD auf meinem Computer in der Küche. Der Kaffeegeruch ist der einzige Hinweis darauf, dass ich gerade aufgestanden bin. Aber Vince bemerkt das nicht.

Er schlägt vor, Fahrrad zu fahren. Bevor es dunkel wird.

Wo steht mein Fahrrad?

Im Keller, Dad.

Lass uns die Stadt entdecken. Noch vor dem Abendessen. Einfach ziellos Fahrrad fahren, Dad. Du unternimmst nie was mit mir.

Beklag dich nicht. Ich bereite dir jeden Morgen dein Frühstück.

Ich bin immer da, wenn du aus der Schule kommst. Andere Kinder sehen ihre Eltern zehn Minuten am Tag.

Wie willst du das wissen?

Ich weiß es einfach.

Zehn Minuten? Vielleicht in Los Angeles. Nicht hier.

Kurz darauf fahren wir Richtung Altstadt. Matte-Quartier, die Unterseite von Bern, direkt am Fluss gelegen, bei Hochwasser drohen hier Überschwemmungen. Wir tragen beide schwarze Hoodies und Trainingshosen, Partnerlook. Die Kapuze habe ich über den Kopf gezogen, eine Sonnenbrille verdeckt mein Gesicht. Wir halten an, blicken auf die Aare, auf eine lange Schwelle, über die Wasser strömt. Bei der Schneeschmelze im Frühjahr sind die Schwellen offen. Bei Niedrigwasser im Winter werden sie wieder geschlossen. Von Herbst bis Frühling breitet sich eine lange Kiesbank im Aarebecken aus.

Hast du schon bemerkt, dass es in der Schweiz immer darum geht, Wasser zu zähmen?

Stimmt.

Über uns thront die Kirchenfeldbrücke, eine gewaltige Eisenkonstruktion.

Spürst du die Aura, Vince?

Was für eine Aura?

Die Brücke.

Bitte, Dad! Lass uns fahren!

Er lehnt sich mit seinem Fahrrad an mich. Legt die Hand auf meinen Rücken.

Nicht nachdenken, Dad. Lass uns einfach fahren.

Er stößt sich von mir ab, zieht das Tempo an.

Come on! Zeig, was du drauf hast, Dad.

Er winkt mir zu, lässt einen Kampfschrei los. Ich versuche, ihm zu folgen. Höre meinen Atem.

Dad! Volltempo! Nicht Nachdenken! Wer es zuerst zur Untertorbrücke schafft!

Seine Wangen glühen, seine Augen funkeln braun wie die einer Katze. Was für eine Energie. Kann Vince kaum folgen. Und wie der gewachsen ist, ohne dass ich es bemerkt habe. Untertorbrücke. Er gewinnt das Rennen. Über der Brücke lässt er sich zurückfallen, fährt neben mir, hält sich an meinem Arm fest.

Hier springen wir nächsten Sommer rein, Dad. Direkt von der Brücke runter in den Fluss.

Wir fahren am rechten Aare-Ufer. Freie Fahrt. Dicht am Wasser.

Der Himmel zieht sich zu einem schmutzigen Teppich zusammen.

Aber es ist mir egal.

Vince öffnet beim Fahren den Mund und zieht Luft ein, als ob er sie trinken könnte.

Atme mal tief ein, Dad!

Kann das nicht.

Einfach Mund auf, Dad! Und offen lassen!

Ich schnappe nach Luft, mache meinem Sohn alles nach.

So ist richtig. Spürst du es?

Was?

Sauerstoff!

Ja.

Wir schweben parallel zum Wasser. Immer weiter flussabwärts. Mein Herz rast. Einfach meinem Sohn folgen. Nicht Nachdenken. Unter einer riesigen Eisenbahnbrücke schreit er:

Daaaaaad!

Das Echo schwebt auf die andere Flussseite, zu einem Turm, den mein Vater »Blutturm« nannte. Weil dort irgendwann Leichen gelagert wurden. Lange her. Wir lachen wie blöd über das Echo, das unsere Rufe auslöst.

Viiiiiince!

Bis zum Blutturm und wieder zurück. Mein Echo. Was für ein Wunder. Dann steht Vince plötzlich in den Pedalen, er breitet seine Arme aus.

Freihändig fahren, Dad! Kannst du das?

Klar, aber nicht im Stehen wie du.

Stehen ist besser!

Was für ein gutes Gefühl: Mit Vince Sauerstoff trinken und freihändig fahren. Alles was vorher war, erscheint mir jetzt ganz weit weg, wie ein alter Schwarz-Weiß-Film, oder eine Krankheit, von der man gerade geheilt worden ist.

Wir erreichen das Kraftwerk Felsenau. Die Aare fällt über eine weitere Schwelle. Weißwasser in der Dämmerung.

Dad, hörst du das Rauschen?

Ja, wunderschön. Und total endlos.

Stimmt, das Rauschen hört nie auf.

Aber siehst du die Spiegelung, Dad? Regenbogenfarben.

Ja, wunderschön. Es wird dunkel, Vince. Lass uns langsam nach Hause fahren.

Okay, Dad. Das müssen wir wieder machen.

Das werden wir, Vince. Ganz bestimmt.

13

23:05. Allee im Osten. Kopfsteinpflaster. Ich habe geduscht, stecke in einem frisch gebügelten AT-Fahreranzug. Vor mir stehen Platanen Spalier. Petrolium-Laternen flackern in der Dunkelheit.

Über dieses Kopfsteinpflaster marschierten Berner Söldner, erzählte mir Vater immer wieder, als ob er selbst dabei gewesen wäre.

Weißt du, mein Sohn, unsere Berner Soldaten waren zu allem bereit, dienten jedem Heer der Welt, solange die Bezahlung stimmte.

Lindenblütenduft dringt durch die Lüftung. AIRMATIC Luftfederungssystem stabilisiert das Fahrwerk. Gewitterregen setzt ein, tränkt die Felder am Stadtrand, in meiner Erinnerung ein warmes, reiches Land, wo alles üppig gedeiht. Mutter hält meine Hand, Vater hilft mir auf mein erstes Fahrrad, meine geliebte Katze August stirbt.

23:15. Ostermundigen. Ich steuere den 560er vor ein leerstehendes Hochhaus, ehemaliges Swisscom-Gebäude, neunzehn Stockwerke. Jean-Luc wohnt hier, er hat zum Team-Meeting gerufen. Gleichzeitig will er mir eine Amerikanerin vorstellen, die ich nach Zürich fahren soll.

Auf dem Weg von der Tiefgarage ins Foyer vibriert mein iPhone. Ich öffne Instagram. Ein Wüstenbild erscheint: Badlands, nahe Anza Borrego. Auf dem Bild steht Frank allein vor unserem schwarzen

Toyota Prius, zwei Wasserflaschen auf dem Wagendach, ein Rucksack am Boden, dahinter eine Straße ins Nirgendwo. Endlich! Sofort bombardiere ich ihn mit Fragen:

Wo bist du? Wieso hast du dich nicht gemeldet? Keine Antwort.

Ich studiere die alte Tafel mit dem Gebäudeplan im Foyer: *Jean-Luc Nafisi, 16. Stock*. Im Aufzug lege ich meine Stirn gegen die Wand, wische Tränen aus dem Gesicht. Bevor ich aussteige, streiche ich mit beiden Händen über meinen frisch gebügelten Fahreranzug. In der 16. Etage liegen Orientteppiche in einem langen Flur. An den Wänden hängen afrikanische Holzschnitzereien und Masken. Vom Gang gehen Räume ab, in denen viele Menschen gehaust haben müssen. Durch offenstehende Türen sehe ich gestapelte Matratzen, provisorische Kochstellen, Kleiderhaufen, Rucksäcke. Es riecht nach Rauch, Klosett und Küche. An der Decke zuckt Neonlicht, die Wände von einer rußigen Schicht überzogen.

Am Ende des Flurs höre ich Stimmen: Freddy und Willi, Ibrahim und Ahmed. Sie unterhalten sich in gebrochenem Englisch. Dazwischen eine Frauenstimme.

Mon vieux, endlich!

Jean-Luc begrüßt mich seltsam euphorisch. Sein rechtes Auge ist zugeschwollen, vielleicht vom Boxtraining. Er kontrolliert mein Äußeres und lächelt zufrieden.

Hast du Nachricht von Frank erhalten, Tom?

Ja.

Er kommt in die Schweiz. Vielleicht in vier Tagen. Meine Leute haben sich um alles gekümmert.

Ich schweige, lass mir nichts anmerken. Obwohl ich Jean-Luc in diesem Moment gern umarmt hätte. Ich ertappe mich bei dem Versuch, vier lange Tage in Minuten, Sekunden und Hundertstelsekunden umzurechnen.

Er führt mich ins Wohnzimmer, es riecht nach Männerschweiß und Rasierwasser. Er legt den rechten Arm freundschaftlich um meine Schulter. Er führt mich zu einem schwarzen Ledersofa mitten in einem großen Wohnraum. Auf dem Sofa sitzt eine Frau Anfang vierzig, in aufrechter Körperhaltung. Sie trägt einen leicht taillierten marineblauen Hosenanzug. An ihrem Blazer glänzen Goldknöpfe, ihr Gesicht ziert eine braune Nerd-Brille, was ihr eine gewisse Strenge gibt. Mir fällt sofort auf, dass auf ihrem rechten Knie ein Notizbuch balanciert. Sie lauscht konzentriert Willis Worten. Ein Monolog in gebrochenem Englisch, offenbar wird Willi von der Frau interviewt. Er sitzt am anderen Ende des Sofas und erzählt von seinen Erfahrungen mit dem Sauberkeitsfimmel der Schweizer. Und von seiner Pflicht, immer gut zu riechen, weil es Jean-Luc wichtig sei.

Erst jetzt registriere ich meine Arbeitskollegen, die im Raum stehen und wegen Willis Antworten kurz vor einem Lachanfall stehen. Sie alle tragen AT-Anzügen. Einige, die ich nicht namentlich kenne, nicken mir grinsend zu. Ahmed, der Syrer, starrt wie hypnotisiert auf die Frau im Hosenanzug und hält sich die Hand vor den Mund. Ibrahim saugt an einem Strohhalm, der in einem Energydrink steckt und ist kurz davor zu platzen. Ein Ghanaer namens George kaut Trockenfruchtstückchen und verschluckt sein Lachen. Freddy trinkt grünen Tee aus einem Plastikbecher. Als Willi mich sieht, hebt er sein Kinn und grinst. Die Frau macht sich Notizen. Jean-Luc unterbricht das Gespräch.

Tom, darf ich dir vorstellen, Doktor Hannah Eisenberg. Sie muss noch heute Nacht nach Zürich. Und du wirst sie dort sicher hinfahren.

Ein Gesicht mit türkisfarbenen Augen blickt jetzt in meine Richtung. Sie lächelt nicht. Mein Augenlid zuckt. Miss Eisenberg streckt mir mit ernster Miene ihre Hand entgegen. Ich reagiere zuerst nicht, versuche nicht zu blinzeln, konzentriere mich auf ihre glänzende, weiße Haut.

Miss Eisenberg ist eine Geschichtswissenschaftlerin aus New York City.

Sie schaut mir direkt in die Augen.

Sie recherchiert für einen großen Bericht über die Schweiz.

Schweigen.

Und über uns!

Jean-Luc lacht.

Ich schüttle die Hand der Amerikanerin.

Für welches Medium arbeiten Sie?, frage ich.

Ein Wochenmagazin.

So was wird in New York noch gelesen?

Ein kühler Blick.

Unser Magazin hat eine lange Tradition und ist mit einer treuen Leserschaft gesegnet.

So was gibt es noch, eine treue Leserschaft?

Ja. Wir sind bekannt für Kurzgeschichten, Kritiken, Essays und Cartoons. Mögen Sie Cartoons, Mister Kummer?

Ich zögere.

Nein.

Ich lasse ihre Hand wieder los.

Und Ihre Publikation veröffentlicht auch Journalismus?, frage ich.

Ja. Anspruchsvollen Journalismus.

Was heißt das?

Es sind Geschichten, wie soll ich sagen, im literarischen Stil einer Short Story geschrieben, aber journalistisch recherchiert.

Und was soll es bei uns zu recherchieren geben?

Sie lächelt.

Mir wird schon was einfallen.

Sie wendet ihren Blick von mir ab und richtet ihre Aufmerksamkeit wieder auf Willi.

Ich laufe zur großen Fensterfront. Blitze über der Stockhornkette, funkelnde Kettenreaktionen weiter südlich.

Willi erzählt, sein Vater sei schon Taxifahrer in Khartum gewesen.

Also war es kein Zufall, dass Sie auch in der Schweiz Fahrer geworden sind?

Es gibt keine Zufälle, Miss.

Willi streicht seine dicken schwarzen Finger über die schweißbedeckte Haut, er beißt mit seinen weißen Vorderzähnen auf massive rosafarbene Unterlippen.

Alles ist vorherbestimmt, Miss.

Schweigen.

Sie glauben, dass wir schicksalshaft mit unseren Eltern verbunden sind?

Ja.

Und was hat das zu bedeuten?

Willi schaut mich kurz an. Dann blickt er ratlos zu Ibrahim. Ibrahim blickt zu Ahmed. Ahmed wieder zu Willi.

Alles steckt in unserem Blut, oder wie man das sagt.

Ibrahim krümmt sich, hält die Hand vor den Mund, um nicht laut herauszulachen.

Schweigen.

Und wieso seid ihr ausgerechnet in die Schweiz geflüchtet?

Willi schaut zu Jean-Luc.

Ich stehe noch immer am Fenster. Regen über Bern. Dunkelheit. Sperrstunde.

Wir sollten fahren, Miss Eisenberg. Ich hole sie vor dem Haupteingang ab.

Die Amerikanerin wirft einen prüfenden Blick auf ihre Notizen, lächelt Willi an, steht auf. Sie will sich noch bei jedem der Fahrer für die Gespräche bedanken. Sie beginnt, schwarze Hände zu schütteln. Sie redet mit den Männern, als ob sie ihnen Mut zusprechen wollte.

Schwarz-rot-goldene Masken starren von den Wänden in meine Richtung. Töpferarbeiten. Fruchtbarkeitsstatuen. Ich berühre eine schwarze Nase, *Kongo 1908* steht unter der Maske. Dann laufe ich zum Ausgang. Meine Hände zittern, Schweißperlen auf der Stirn. Ich winke Jean-Luc zum Abschied zu. Er deutet mit seinem Zeigefinger auf mich und drückt ab.

Auf dem Weg aus der Tiefgarage erinnere ich mich daran, wie meine Eltern immer wieder von der magischen Kraft afrikanischer Stammeskunst erzählten. Und welchen Einfluss Afrika auf die Pioniere der europäischen Moderne gehabt hätte. Als Kind schleppten sie mich ständig in Museen und trichterten mir Namen ein: Schmidt-Rottluff, Fernand Léger, Brâncuşi, Picasso, Georges Braque, Cézanne, Giacometti, Henry Moore. Solche Kunstwerke zu erschaffen, sei damals extrem mutig gewesen, in einer Zeit des Rassenwahns.

Ich glaubte ihnen kein Wort.

23:50. Grauholz. A1. Bodennebel. Ein Strom aus Grautönen fließt auf die Windschutzscheibe, wie ein Film, oder vielmehr zwei, drei Filme gleichzeitig, abgespielt in Zeitraffer. Der Laptopbildschirm leuchtet das Gesicht meiner Passagierin aus. Sie schaut unruhig aus dem Seitenfenster, dann wieder in meinen Rückspiegel.

Intelligent Driving System fordert Tempo 80. Der Nebel wird dichter. Schaffen wir es pünktlich, Sir?

Keine Sorge, Miss.

Es sind 123 Kilometer bis Zürich.

Was will diese Frau von uns?, fragte ich Jean-Luc vor der Abfahrt.

Wissen nichts Genaueres. Willi hat sie am Genfer Flughafen abgeholt. Sie ist in Begleitung des UN-Hochkommissars für Menschenrechte aus New York angereist. Willi hat ihr von seiner Flucht aus dem Kongo erzählt. Und Miss Eisenberg hat Feuer gefangen.

Und? Was will sie jetzt genau?

Sie recherchiert an einer Story über das *Erfolgsmodell Schweiz*.

Erfolgsmodell?

Und über afrikanische Migranten, die illegal nach Europa kommen. Mach dir keine Hoffnungen, an dir ist sie nicht interessiert. Oder hast du es noch nicht bemerkt?

Was?

Sie ist Profi, arbeitet angeblich für ein angesehenes *New Yorker* Magazin, und Miss Eisenberg steht bestimmt auf Frauen.

Braune Brühe spritzt von der Fahrbahn gegen die Windschutzscheibe. Ein Müllwagen verliert bei Schönbühl seine durchweichte Ladung. *Intelligent Driving System* schaltet das Scheibenwischersystem ein. Etwas stimmt nicht mit den Scheibenwischern. Scheibe verschmiert. Drei Sekunden Blindfahrt.

Tauche ein in meine Kindheit, Schlamm auf dem Grund eines Bergsees, die Stimme meines Vaters, springe von einem Felsen in die schwarze Kälte eines Bergsees, tauche tiefer und tiefer, bis ich auf dem Grund glitzerndes Gold erkenne. Ich höre die Stimme meines toten Vaters, der mich mit seinen weit geöffneten Armen aufnimmt.

Im Heckfenster verfolgen uns Gewitterwolken. Miss Eisenberg beugt sich ein wenig vor.

Sie müssen mir nicht antworten, trotzdem interessiert es mich. Sie sind kein offizieller Botschaftsfahrer. Als was würden Sie Jean-Lucs Unternehmen bezeichnen?

Haben Sie nicht gerade mit ihm gesprochen?

Ja, aber Ihre Antwort interessiert mich mehr.

Wir sind ein Sonderservice für ausländische Diplomaten und Geschäftsleute. Das ist alles.

Und woher kommen Ihre Klienten?

Vom afrikanischen Kontinent.

Wieso exklusiv aus Afrika?

Alte Beziehungen zur Schweiz. Ich glaube, das reicht schon eine Weile zurück. Mehr weiß ich wirklich nicht.

Miss Eisenberg betrachtet das Bild auf dem Armaturenbrett. Blaulicht. Ein Krankenwagen überholt. Abfall weht über den Asphalt, der Wind bläst ostwärts, die angrenzenden Felder übersät von einem Meer aus Plastiktüten.

Jean-Luc hat mir erzählt, was mit Ihrer Frau passiert ist.

Der Verkehr kommt zum Stehen.

Wie ergeht es Ihnen damit, Ihre alte Heimat neu zu entdecken?

Die tiefhängenden Wolken reflektieren Licht, werfen es zurück auf das Schweizer Mittelland.

Ich entdecke nichts Neues, Miss. Meine Frau ist tot. Ich komme in die Schweiz und fahre nachts eine Limousine durchs Land. Das entspannt mich.

Dann sehen Sie ja gar nichts von diesem schönen Land.

Ich sehe genug.

Miss Eisenberg hält sich jetzt an meiner Nackenstütze fest.

Und Ihr Sohn? Was denkt er über sein neues Leben in der Schweiz?

Er scheint glücklich. Ständig will er mir die Schweiz schmackhaft machen. Aber was weiß man schon über das Innere eines Teenager-Hirns.

Was für Orte?

Seen, Flüsse, Wälder. Den ganzen Schweiz-Kitsch. Manchmal beobachten wir Tiere, beobachten Nachbarn vom Balkon aus, spielen Basketball. Zu mehr reicht es nicht.

Wieso sind Sie eigentlich in die Schweiz zurückgekehrt? Kalifornien ist doch viel schöner und wärmer?

Ich lächle in den Rückspiegel.

Alles erschien mir ziemlich sinnlos. Und dann bekam ich Hautausschläge, habe das Sonnenlicht nicht mehr vertragen. Das war der eigentliche Auslöser.

Haben Sie sich untersuchen lassen?

Nein.

Das sollten Sie aber tun.

Wieso? Jeder vernünftige Arzt in Los Angeles würde mir einen Nachtjob in der Schweiz verschreiben.

Ich lächle sie an.

Sie sollten die Signale Ihrer Haut ernst nehmen, Sir. Die Haut ist ein Frühwarnsystem, es informiert über zukünftige Krankheiten.

Ich drehe mich kurz um.

Daran habe ich nie gedacht.

Die Haut ist unser größtes Sinnesorgan. Jede Berührung geht über die Haut. Begehren, Erregung, Angst.

00:28. Limpachtal.

Wo sind wir? Wieso haben Sie die Autobahn verlassen?

Stau umfahren. Ist kein Problem, Miss.

Wieso fahren Sie langsamer?

Wildunfälle.

Wieso hier?

Irgendetwas treibt Igel und Füchse über die Fahrbahn.

Woher wissen Sie das?

Der Vater meiner Frau lebt in dieser Gegend.

Umrisse von Bauernhöfen, Bäumen. Keine Menschen. Mein Blick benebelt.

Ihr Schwiegervater lebt noch?

Ziehe ein Taschentuch aus der Mittelkonsole.

Ja, zurückgezogen, ein bisschen wie ein einsamer Wolf.

Sie beugt sich wieder vor, als ob sie ein wichtiges Anliegen vorzutragen hätte.

Ich trockne meine Augen. Manchmal tränen sie, ohne Grund.

Wann wird ein Schweizer Mann zum einsamen Wolf?

Gehört das zu Ihrer Schweiz-Recherche?

Ja.

Die Schweiz produziert keine Amokläufer wie die USA, falls Ihre Frage darauf hinausläuft. Es fehlen die Waffen. Es fehlt die *Lone wolf*-Kultur, die Verlorenheit.

Meine Passagierin lacht.

Alle Männer über fünfzig sind Zeitbomben. Auf der ganzen Welt.

Daran glauben Sie?

Ja.

Glaube ich nicht, Schweizer sind gemütliche Zeitbomben. Ihre Gewehre stehen ungeladen im Keller.

Sie lächelt.

Wo sind wir?

Schnottwil.

Leben hier überhaupt Menschen?

Ja. In Höhlen, unter dem Boden.

Versuche zu lachen. Aber es gelingt mir nicht.

Jeden Sommer haben wir ihn besucht.

Wen?

Ninas Vater. Unsere Jungs liebten die Wälder im Kanton Solothurn. Sie haben nicht bemerkt, was mit ihrem Großvater los war. Er operierte mit psychologischen Tricks, wie so viele Schweizer.

Was heißt das?

Mit der Faust in der Tasche.

Wo sind wir?

Büren an der Aare.

Über diese Holzbrücke wollen Sie jetzt fahren? Sieht aus wie eine Bühnendekoration. Stürzt die nicht ein?

Eine siebenhundert Jahre alte Bühne, Miss. Älter als Amerika. Die hält alles aus.

Schaffen wir es pünktlich nach Zürich?

Ja. Wie spät ist es in New York City?

6:42 pm.

Keine Sorge, Madam. Gleich sind wir auf der A5. Dann geht es zügig Richtung Zürich.

Nahe Meinisberg. Über ein angrenzendes Feld nähert sich ein Traktor. Ein Monster mit vier mannshohen Zwillingsreifen. Ein aggressives Gesicht, das vier Scheinwerfer an der schwarzen Front formen. Doch ein Detail fehlt: die aufgesetzte Fahrerkabine. Der Traktor fährt autonom über einen Acker.

Haben Sie so was schon gesehen?

Ja, auf Kornfeldern in Kansas.

Autobahneinfahrt Pieterlen-Lengnau. A5, Richtung Solothurn. Eine Gruppe Jugendlicher, im Alter von Vince und Frank, in Decken gehüllt, stehen auf dem Pannenstreifen, sie tanzen um einen kleinen Lautsprecher, sie warten auf eine Mitfahrgelegenheit. Ein junger Schäferhund zerrt an einem Rucksack, ein Mädchen liegt am Boden, bewegungslos, neben aufgereihten Wodkaflaschen und Red Bull-Dosen.

Was war das? Haben Sie den Hund überfahren?

Sie blickt zurück durch die Heckscheibe.

Nein. War bestimmt nur ein Schlagloch. Gibt es auch im Paradies.

Im Rückspiegel sind die Jugendlichen nur noch schwarze Punkte in der dunkelgrauen Dunkelheit.

Haben sie es nicht gespürt?

Nachtgespenster, Miss Eisenberg.

Das ist Ihnen hier schon mal passiert?

Ich fahre öfter über fremde Wesen. *The Wild Things*. Gibt es nur in der Nacht.

Ich lache in den Rückspiegel.

Die Kindergeschichte kennen Sie doch, oder? Die hat meine Frau immer unseren Jungs vorgelesen.

Miss Eisenberg vertieft sich in ihre Notizen. Über Pieterlen verdecken Nebelschwaden den Mond. Zwei Reiter galoppieren parallel zur Autobahn. Die Pferde tragen Lämpchen am Reithalfter.

Hier ist meine Frau geboren. Am Rand der Jura-Erhebung.

Sie schaut aus dem Fenster.

Stehen hier nicht die großen Schweizer Uhrenfabriken? Rolex, Omega, Swatch?

Kann sein.

Ausfahrt Arch. Leere Autobahn.

00:50. Autobahnschilder: Solothurn, Olten, Basel, Zürich. Wir fahren parallel zu den Jura-Erhebungen. Miss Eisenberg hat ihren Kopf zurückgelegt, ihre Augen geschlossen.

In der Dunkelheit ist es leicht, den Schweizer Jura mit Mesas in Mexiko zu verwechseln, bewuchert von Wüsten-Chaparral, kurzen, trockenheitsresistenten Büschen, in denen es von Klapperschlangen wimmelt. Hinter dem Grenchenberg breiten sich Canyons aus mit karger Vegetation. Alles, was man sieht, sind Kakteen und in Büscheln hochschießendes Gras. Nina imaginierte hier gerne fremde Landschaften. Lavaberge mit geheimnisvollen Gesteinsformationen, durchbrochen von Canyons mit Felswänden in unterschiedlichen Farbtönen. Nur im Trancezustand konnte Nina ihren Geburtsort ertragen. Sie hatte einen unheilbaren Hass auf ihre Heimat entwickelt. Warum, weiß ich nicht, die Ursache war mir irgendwie egal.

Mit so einer Frau solltest du dich besser nicht einlassen, sagte meine Mutter, als sie Nina zum ersten Mal begegnet war. Die verheißt nichts Gutes, Tom. Nichts Gutes.

Beim Sex drehten sich ihre Pupillen unter die Lider. So sieht der Tod aus, habe ich damals gedacht. Nach einem Orgasmus starrte sie mich mit ausgehöhlten Augen an. Immer und immer wieder sollte ich sie in einen Abgrund stoßen. Schwanken über dem Abgrund. Und danach immer dieselben Fragen:

Findest du nicht, dass Sex das Wichtigste in einer Beziehung ist?

Angeblich nicht.

Sind eine langfristige Beziehung und Kinder nicht schlecht für guten Sex?

Keine Ahnung, Nina, vielleicht ist Sex dann nicht mehr so wichtig.

Ehrlich jetzt, Tom, gibt es irgendetwas, das über das Körperliche in einer Beziehung hinausgeht?

Angeblich schon, habe ich geantwortet.

01:25. Ziehe eine Flasche Minztee aus der Mittelkonsole. Der 560er scheint wieder zu schweben. Nichts rührt sich da draußen. Keine Autos. Alles schwarz wie auf einem toten Planeten. Meine New Yorker Passagierin hat die Augen wieder geöffnet. Auf der Nordseite der Autobahn taucht jetzt eine riesige Überdachung auf.

Was ist das?

Prüfe Google.

Größte Sondermülldeponie der Schweiz, Miss.

Meine Passagierin schaut konzentriert in die Dunkelheit, tippt etwas in ihren Computer. Dann zieht sie sich wieder näher an mich heran. Sie spricht jetzt leise und vorsichtig, als ob sie etwas Wichtiges loswerden möchte.

Wussten Sie eigentlich, dass jeder von Jean-Lucs Fahrern … Sie macht eine Pause.

Jeder hat Angehörige verloren. Auf der Flucht von Afrika nach Europa.

Ich blicke geradeaus. Konzentriere mich auf einen Lastwagen der Firma SCHÖNI, blockiert seit Minuten die linke Spur.

Was wollen Sie damit sagen?

Weiß nicht. Vielleicht helfen sie mir, es besser zu verstehen. Hat Jean-Luc gezielt traumatisierte Flüchtlinge als Fahrer rekrutiert?

Kann ich mir nicht vorstellen.

Ich habe zwei Fahrer interviewt. Willi und Malick. Sie machten auf mich den Eindruck, als würden sie unter PTSD leiden.

PTSD?

Post-traumatic stress disorder. Eine Erkrankung, die sich schleichend entwickelt.

Es gibt keine Probleme mit unseren Fahrern. Sind alles Profis.

Über mir leuchten grüne Autobahnschilder. Beschleunige auf 180 km/h.

PTSD muss man ernst nehmen. Wer daran erkrankt, erlebt traumatische Situation im Kopf, immer und immer wieder.

Wieso erzählen Sie mir das?

Ich will nur wissen, ob Ihnen was aufgefallen ist.

Mir ist nichts aufgefallen, Miss.

Schlammschicht auf der Autobahn bei Hunzenschwil. Scheibenwischerlösung zeigt keine Wirkung. *Intelligent Driving System* meldet sich zurück.

Und Sie? Wieso arbeiten Sie für AT?

Ich fahre Leute von A nach B. Das ist alles.

Sie haben Ihre Frau verloren. Das muss Jean-Luc gewusst haben, als er sie rekrutiert hat.

Meine Passagierin beugt sich wieder vor. Ich lege meine rechte Hand in den Nacken, neige den Hals vor und zurück, Gymnastikübungen tun gut, von links nach rechts, und rotieren. Ich spüre meine Wirbelsäule, die tief unten gegen meinen Steiß drückt. Dann spreche ich in den Rückspiegel:

Jean-Luc faselt viel Ungereimtes. Und bestimmt erwartet er nicht von mir, Ihnen auf jede Fragen zu antworten.

Sie müssen nicht antworten. Wir können auch schweigen. Ich habe mich nur gefragt, ob Sie immer noch um Ihre Frau trauern.

Habe ich Ihnen bereits gesagt, Miss. Ich muss weiter funktionieren! Ich schalte das AirConditioning ein.

Wissen Sie, PTSD tritt meistens nach furchtbaren Erlebnissen auf, die durch andere Menschen ausgelöst wurden. Wir haben im *New Yorker* viel darüber berichtet, auch wegen unserer Soldaten in Afghanistan und dem Irak. Doch die Erforschung von PTSD hinkt immer noch hinterher. Viele Betroffene trauen sich nicht, sich zu offenbaren. Ein typisches Männerproblem.

Mir und meinen Kollegen geht es gut. Fühle mich prächtig, bin Vater von zwei Söhnen, trage Verantwortung.

Kennen Sie eigentlich den Film *Taxi Driver*?

Schweigen.

Ein Klassiker, finden Sie nicht? Mit Robert De Niro und der Filmmusik von Bernard Hermann.

Erinnere mich nicht mehr an Details.

Es geht um einen New Yorker Taxifahrer, der aus Vietnam zurückgekehrt ist. Er leidet unter PTSD. Der Film ist hochaktuell.

Was soll daran aktuell sein?

Es gibt Forschungen an der Columbia University, die sich mit Travis Bickle als Männerphänomen befassen. Die Ergebnisse legen nahe, dass es sich beim *Taxi Driver* nicht um eine maskuline Persönlichkeit, sondern um eine androgyne handelt.

Ich schaue kurz in den Rückspiegel. Sie schaut mich an.

Verstehe ich nicht.

Bickle vertritt weder eine bestimmte Männlichkeit, noch Männlichkeit überhaupt. Natürlich hat der Vietnamkrieg bei ihm Spuren hinterlassen. Er besitzt eine multiple Identität, er ist *stranger to himself*, wenn Sie verstehen, was ich meine.

Nein, verstehe ich nicht. Weder hetero- noch homosexuell?

Abgeschnitten von der Männer- und Frauenwelt. Im Film nennt er sich *God's lonely man*. Das trifft es ganz gut.

Ich streichle das Lenkrad.

Könnte ein Männertyp sein, der sich durchsetzt, der Mann der Zukunft.

Sie lacht.

Ich blicke in den Seitenspiegel.

Gibt es *Taxi Driver* auch auf Netflix?

Ja.

01:50. Nahe Mägenwil. Ein Geruch von Düngemittel. Meine Augen fühlen sich wässrig an, nehme eine rote Pille, schütte mit Energydrink nach.

Miss, darf ich Sie was fragen?

Natürlich.

Wieso interessieren Sie sich für die Schweiz?

Sie lächelt.

Amerikaner suchen immer nach einem Ideal. Um es besser zu verstehen und die eigene Optimierung voranzutreiben. Die Schweiz ist ein sehr erfolgreiches Staatsgebilde. Fast wie ein kleines Paradies. Wie ist es dazu gekommen?

Sie lächelt in meinen Rückspiegel.

Schweigen.

Haben Sie eine Erklärung?

Keine Ahnung. Die Schweiz ist mir ziemlich fremd.

Schweigen.

Wieso recherchieren sie ausgerechnet beim AT-Limo-Service?

Sie schiebt sich näher an meinen Fahrersitz. Die Scheibenwischerlösung zeigt keine Wirkung.

Ich bin auf Berge im Graubünden gestiegen, habe Schweizer Banken besucht, Politikerinnen, Historiker, Tourismusexpertinnen. Ein Eidgenössischer Schwingerkönig war auch dabei. Ich habe neue Erkenntnisse zu Jean-Jacques Rousseau, Gottfried Keller und Robert Walser gewonnen. Ich war in einer Ortschaft namens Visp und habe das Erfolgsrezept von Ex-FIFA-Boss Sepp Blatter untersucht. Ich bin tief in den Untergrund der Schweiz vorgedrungen, in Tunnel, Bunker und alte Tresorräume ...

Unsere Blicke treffen sich im Rückspiegel. Ich blicke über meine rechte Schulter.

Und? Was hat es Ihnen gebracht?

Ich weiß es nicht. Vielleicht sind Sie meine letzte Hoffnung.

Sie lacht.

Finden Sie nicht, ein reiches Land wie die Schweiz müsste mehr Verantwortung für die Welt tragen?

Wieso fragen Sie mich das? Ich bin Fahrer einer Mercedes Limousine, die Sie nach Zürich bringt, und dieser Wagen hat einen ziemlich hohen CO_2-Ausstoß.

Ich lächle verkrampft.

Machen Sie mir bitte kein schlechtes Gewissen. Ich muss pünktlich in Zürich ankommen.

Schweigen.

Ich habe mich bei meinen Recherchen immer wieder gefragt, ob ein Superstaat wie die Schweiz genug tut für die Zukunft unseres Planeten.

Ihre Hand berührt meine Schulter, dabei beobachtet sie mein Gesicht von der Seite, als ob sie eine besondere Reaktion entdecken möchte.

Wollen Sie von mir hören, dass sich die Schweiz für ihren Wohlstand schämen und Reparationen zahlen sollte?

Keine schlechte Idee.

02:09. Starre in das grüne Licht auf der Frontscheibe.

Wieso verlassen Sie die Autobahn?

Die Scheibenwischanlage, Miss. Etwas stimmt nicht.

Hauptstraße 14, Richtung Chrüxester und Lupfig. Dann weiter nach Scherz. Von dort auf einen Waldweg.

Wohin fahren wir?

Halte den Wagen vor einem Feld, steige aus. Kühle Dunkelheit umgibt mich jetzt, der Wind trägt den Geruch eines Flusses heran. Beobachte einen Hof mit verkohltem Dachblech, eine einzelne schwarz-weiß gefärbte Kuh weidet im Gras, zwischen umgestürzten Bäumen mit knorrigen Zweigen. Es riecht nach Schwefel.

Meine Passagierin versucht, ihre Tür zu öffnen. Aber die Tür ist verriegelt. Ich reagiere nicht. Gehe um den Wagen herum, öffne den Kofferraum, suche das schwach beleuchtete Innere ab. Ich hatte Geräusche von dort gehört. Aber da ist nichts, bis auf eine Flasche Scheibenwischwasser, die durch den Kofferraum rollt. Ich gehe zurück, öffne die Kühlerhaube und fülle den Behälter auf. Ich schließe die Kühlerhaube und deponiere die leere Flasche wieder im Kofferraum. Dann warte ich ab. Ich lehne mich an den Wagen und starre in die Dunkelheit. Erst jetzt bemerke ich, wie meine Passagierin hektisch ihr iPhone bearbeitet. Sie blickt durch das Seitenfenster, studiert die Umgebung, als ob sie versucht, etwas zu erkennen. Alles schwarz. Leer. Dahinter fließt die Aare bei Bad Schinznach. Der versunkene Bereich. Ich schließe die Augen, versuche Ninas Stimme zu hören, ihr Gesicht zu erkennen. Aber da ist noch nichts. Ich gehe in aller Ruhe um den Wagen herum. Die Augen meiner Passagierin starren ängstlich durchs Seitenfenster.

Ich öffne ihre Tür.

Ich möchte Ihnen etwas zeigen, Miss.

Meine Hand umfasst ihren rechten Oberarm, ich ziehe sie aus dem Wagen. Kein Widerstand. Wir laufen eine Weile durch die Schwärze.

Wo sind wir?, flüstert sie.

In der Nähe eines Flusses. Derselbe Fluss fließt auch durch Bern. Die Aare. Angeblich ein heilender Ort. Mit Thermalquellen, Heilwasser, Heilkräutern. Ihre Hand hält sich kurz an meinem Anzug fest. So laufen wir an den Umrissen großer Felsbrocken vorbei.

Was sind das für Objekte?

Findlinge, die von den Gletschern zurückgelassen wurden. Kein

Mensch kann die verrücken. Der Pfad führt zum Fluss. Vor uns liegt eine dicht von Schilf und Weiden umstandene Mulde im Sand. Wir lauschen. Dann gehe ich in die Knie, schöpfe eine Handvoll Wasser aus dem Fluss, klatsche es mir ins Gesicht, schöpfe eine weitere Handvoll und trinke. Das Wasser ist kalt und klar. Miss Eisenberg macht es mir nach. Eine einzelne Nebelbank hängt in der schwarzen Luft.

Wissen Sie, es gibt Orte in der Welt, denen man Respekt entgegenbringen muss. Und das ist so ein Ort.

Ich leuchte mit meinem iPhone auf Büsche und Sträucher. Stromaufwärts kreisen Mauersegler oder Schwalben, sie flattern im Tiefflug über die Aare.

Reißen Sie ein Blatt ab von diesem Busch, zerreiben Sie es in der Hand. Spüren Sie das Brennen?

Ja.

Ein angenehmes Brennen, das die Nervenzellen anregt.

Wir laufen zum Flussufer, wo ein Ruderboot an einem Steg angetaut ist. Ich helfe meiner Passagierin ins Boot. Sie setzt sich hin, umklammert meine Hand. Sie lauscht dem leisen Schlagen der Wellen in der Dunkelheit.

Ich komme hier öfter her, führe Passagiere über den Fluss. Es ist eine heile Welt. Aber nur in der Dunkelheit. Am Tag möchte ich nicht hier sein.

Wir schweigen.

Konzentrieren Sie sich einfach auf die Oberfläche. Irgendwann werden Sie ihre blauen Augen sehen.

Ihre Augen?

Ich lege jetzt meinen Arm um ihre Schultern, will ihr Halt geben. Ihr Körper zittert.

Sie glauben mir doch?

Sie schweigt.

Sie halten mich doch nicht für verrückt?

Nein.

Sie können sich nicht vorstellen, wie sehr ich meine Frau geliebt habe.

Doch kann ich.

Können Sie ihre Augen sehen?

Sie starrt auf eine funkelnde Stelle unter der Oberfläche.

Wenn ich ihre Stimme höre, dann erzählt sie mir immer vom süßen Tod. Sie sagt, den süßen Tod gebe es nur am anderen Flussufer.

Der süße Tod?

Miss Eisenberg schiebt jetzt ihr Gesicht näher an meines.

Nachts bietet dieses Land perfekte Bedingungen.

Was sind perfekte Bedingungen?

Stille, Dunkelheit. Keine Menschen. Nichts lenkt hier vom Wesentlichen ab, als hätte ein Vakuum alle Luft abgesaugt, alles Licht gefiltert. Oder sehen sie irgendwo eine Bewegung?

Nichts.

Ein gesegnetes Land.

Sie gleitet mit ihrer Hand über meinen rechten Arm bis zur Schulter. Sie hält sich an mir fest.

Fürchten Sie den Tod, Miss Eisenberg?

Wir fürchten doch alle den Tod. Sie etwa nicht?

Nicht mehr, nicht hier in der Schweiz.

Sie legt ihren Arm um meine Schulter.

Ich mag, was Sie mir zeigen. Vielleicht leben die Schweizer ja im wahren Reich der Mitte.

Sie kichert, als sie »Reich der Mitte« sagt. Ich habe noch nie eine New Yorkerin kichern gehört. Dann streichelt sie mir über den Hinterkopf.

Vielleicht sind die Menschen in diesem Land mit einem Wissen über die Zukunft der Erde gesegnet.

Stille.

Wohl eher über ihr mögliches Ende, sage ich.

Miss Eisenberg kichert in die Dunkelheit. Sie scheucht eine Krähe am anderen Ufer auf.

Die Krähe hat bestimmt gerade eine Eidechse gefressen, sagt sie.

Und irgendwo fressen Eidechsen gerade Insekten, sage ich und lächle meine Passagierin an.

Bienen fallen vom Himmel, sagt sie.

Sie nimmt mich in die Arme, sie umfasst mein Gesicht, sie hält mich fest. So verweilen wir. Ich muss dabei an einen Film und an einen Song denken, mit demselben Titel: *Hiroshima Mon Amour.*

Es gefällt mir sehr mit Ihnen an diesem Fluss.

Sie schaut in meine Augen.

Tränen laufen über ihr Gesicht.

Ich führe Sie gerne ans andere Ufer, Miss.

Sie umfasst meinen Arm.

Wir müssen unsere Bootsfahrt verschieben.

Ich muss dringend nach Zürich.

02:12. Wie weit ist es noch, Sir?

Das grüne Licht der Zeitangabe fließt immer noch durch mich hindurch. *Hiroshima Mon Amour.*

Sir?

Langsam löst sich mein Blick von der Windschutzscheibe. Wie lange habe ich in den *versunkenen Bereich* gestarrt?

Autobahnraststätte Würenlos.

Sir?

Miss Eisenberg klopft mit der Hand auf meine rechte Schulter.

Ja, Miss?

Fahren Sie bitte schneller. New York erwartet meinen Anruf. Ich kann den Conference-Call nur aus meinem Hotelzimmer abwickeln.

Klar, Miss, wir schaffen es.

Sie tippt wieder auf ihren Laptop.

Ich spreche in mein Lenkrad:

Mercedes, Hotel Baur du Lac.

Auf dem Bildschirm wird meine Route angezeigt. Die Nacht wird hell. Zürich protzt mit Licht. Stadtlichter strahlen gegen die Wolkendecke, breiten sich golden über Altstetten aus. Louis XIV. ließ Versailles mit 24 000 Kerzen illuminieren. Über der schwarzen Pyramide des Luxor-Kasinos in Las Vegas schicken 39 große Xenonlampen den stärksten Lichtstrahl der Welt in die Nacht – die Leuchtkraft von 40 Milliarden Kerzen.

Escher-Wyss-Platz. Frauen und Männer marschieren auf getrennten Gehsteigen. Die Frauen tanzen, die Männer starren auf den Asphalt. Zwei schwarz qualmende Löcher hängen am Himmel über dem Hauptbahnhof. Meine Passagierin bemerkt nichts.

02:28. Hotel Baur du Lac. Ich steige aus, gehe um den Wagen herum, öffne die Tür meiner Passagierin, sie steigt aus und sagt zum Abschied, dass wir unser Gespräch fortsetzen sollten.

Vielleicht bleibe ich noch ein paar Tage. Sie lächelt mich an.

Haben Sie denn den Schatz gehoben, Miss?

Den was?

Ihren Schweiz-Bericht. Haben Sie den Schatz der Story gehoben?

Sie überlegt kurz, als ob Sie meine Frage nicht richtig verstanden hätte.

14

04:02. Ankunft in Bern. Vorstadtkulisse. Ostring. Im Hundepark stehen zwei Männer und rauchen. Denke an den Film *M – eine Stadt sucht einen Mörder* mit Peter Lorre.

Ich gehe in die Wohnung. Alles in Ordnung. Das Geschirr in der Spülmaschine. Ziehe mich aus und dusche.

Kurz darauf schalte ich das Licht aus. Öffne seine Zimmertür, öffne das Fenster, lege mich vorsichtig in sein Bett. Vince schnarcht leise.

Ich kann nicht schlafen. Unter der Decke durchforste ich die Social Media auf meinem iPhone. Franks Bilder auf Instagram. Möchte jetzt gleich seine warme nackte Haut spüren, von der Wüstensonne aufgeheizt. Vielleicht hat er Ninas Felsen besucht. Und irgendwas ist dazwischengekommen. Möchte jetzt gleich über seine Finger, Muskeln, Lippen, Nase, Haare streichen. Kann kaum erwarten, ihn wiederzusehen. Wenn es stimmt, was Jean-Luc angedeutet hat, wird es nur noch wenige Tage dauern. Aber die Zeit schleppt sich dahin. Denke an meine Kindheit, um Schlaf zu finden.

Die Sommermonate im Tennisclub Neufeld. Die Hitze des Sandplatzes. Meine Schläge. Im Winter stehe ich auf Skiern in Mürren. Sorgloses Leben. Nur Spaß. In der Schule läuft es nicht besonders gut. Doch weder Vater noch Mutter machen mir Vorwürfe. Die Zukunft ist voller Möglichkeiten. Ein Geruch von Schokolade liegt in der Luft. Er zieht von der Toblerone-Fabrik an der Länggasstraße direkt in unser Wohnzimmer. Dann der Geruch nach kalter Asche. Mein Vater sitzt nach der Arbeit meist stumm mit einer Zigarette zwischen den Fingern auf dem Balkon, er beobachtet die Nachbarschaft. Vielleicht sucht er nach irgendwelchen Zeichen. Wenn ich mich auf seinen Schoß setze, dann riecht er, als wäre er längst abgebrannt. Er raucht Stella Filter, bis er am 24. April 1973 im Lindenhofspital stirbt, in Sichtweite meines Kinderzimmers, Luftlinie 850 Meter, ich habe damals die Länge des Weges mit meinen eigenen Schritten abgemessen. Fakten schaffen.

Helligkeit dringt jetzt ins Zimmer. Versuche, das Licht fern zu halten. Gelingt nicht. Vorsichtig halte ich den Vorhang zur Seite, starre in den Himmel über Bern. Draußen beginnt ein neuer Tag.

14:48. Fahre Trolleybus, halte mein Gesicht bedeckt. Niemand scheint mich zu beachten. Keine Verfolger. Meine Mutter ruft an. Ich nehme nicht ab.

Kantonales Jugendamt. Schlichtes Sitzungszimmer. Ein Mann sitzt vor mir an einem Schreibtisch, ich erkenne ihn nur schemenhaft in diesem dunkelbraunen Raum. Ich trage die Palm-Springs-Sonnenbrille, die nicht nur gegen frontale Strahlen, sondern auch gegen seitlich einfallendes Streulicht schützt. Polaroidgläser, mit schwarzem, an den Schläfen abschließendem Kunststoffgestell. Tageslicht ist mit dieser Brille überhaupt kein Problem, bringt die Welt auf Abstand.

Herr Jungi stellt sich vor. Höflicher, junger Berner Beamte. Bin ihm schon einmal begegnet. Kurz nach unserer Einreise. Zwei Beamte saßen uns damals gegenüber. Ein Kennenlernen, hieß es. Ein psychologischer Test für Vince und mich. Die heutige Vorladung muss andere Gründe haben.

Setzen Sie sich, Herr Kummer. Wie geht es Ihnen? Und Ihren Söhnen?

Alles okay. Um was geht es, Herr Jungi?

Ich bring es gleich auf den Punkt: Es geht um eine Anzeige gegen Sie.

Gegen mich? Wer zeigt mich an?

Ein Nachbar.

Das gibt es nicht.

Doch.

Herr Jungi steht auf. Er schiebt mir Formulare zu, auf denen ich Fragen mit Ja oder Nein beantworten soll.

Es gibt bei uns in der Schweiz ein ziemlich vernünftiges Rechtssystem, Herr Kummer …

Er kreist um meinen Stuhl, läuft durch sein Sitzungszimmer.

Und ich finde, sie sollten unserer Gesetzgebung vertrauen und sich entsprechend verhalten.

Wieso erklären Sie mir das, Herr Jungi?

Weil ich mit Ihnen das Richtige identifizieren will, das, was das Gesetz erlaubt, und das Falsche, was verboten ist. Wenn sich darüber ein Streit ergibt, überlassen wir gewöhnlich den Entscheid unseren Gerichten. Ganz bestimmt konsultieren wir keinen »Fixer«, so wie Sie sich das vielleicht vorstellen.

Wie kommen Sie darauf?

Ach, lassen wir die Spielchen, Herr Kummer. Jedenfalls müssen wir dieser Anzeige gegen Sie nachgehen. Sie wurde uns von der Polizei weitergeleitet.

Was für eine Anzeige?

Es geht darum, dass Sie von einem Nachbarn beobachtet wurden. Es wird behauptet, Sie würden Ihren minderjährigen Sohn vernachlässigen und ihn nachts allein zu Hause zurücklassen, während Sie

Ihrer Arbeit nachgehen. Es wird auch behauptet, Sie hätten ihn belästigt. Es gibt bisher keine Beweise, denen die Polizei nachgehen kann. Also ist diese Sache auch nicht aktiv. Es ist erst mal nur ein informatives, inoffizielles Gespräch. Wir vom Jugendamt sind am Wohlergehen Ihrer Kinder interessiert.

Ich starre Herrn Jungi an.

Könnten Sie vielleicht Ihre Sonnenbrille abnehmen, während ich mit Ihnen spreche, Herr Kummer? Es ist Ihnen hoffentlich klar, dass, wenn Kinder ein Trauma erleiden, dies im Erwachsenenalter massiv die Psyche belasten kann. Diese Traumata werden durch emotionale Vernachlässigung oder Missbrauch ausgelöst. Sie sind sogar im Gehirn nachweisbar.

Ich stehe auf, meine Sonnenbrille fällt zurück auf die Nase.

Wie kann so was legal sein, Herr Jungi? Wie können Sie der Anzeige eines Nachbarn nachgehen, der mich ausspioniert?

Setzen sie sich, Herr Kummer. Die Aktionen Ihres Nachbarn nennen wir nicht »Ausspionieren«. Es wurde uns lediglich ein Verdacht gemeldet, dem wir nachgehen sollen. Hat alles seine rechtliche Ordnung. Ich habe persönlich nichts gegen Sie. Muss Ihnen aber einige Fragen stellen. Und möchte Sie dazu bitten, die Fragen auf diesen Formularen zu beantworten.

Muss ich antworten?

Nein, Sie können auch Ihren Anwalt anrufen.

Stille.

Ich bitte Sie, Herr Kummer. Kooperieren ist wirklich das Vernünftigste in Ihrer Situation. Einfach auf dem Formular ein Kreuz bei Ja oder Nein anbringen, oder wo gefordert, eine kurze Ausführung. Es ist eine psychiatrische Evaluation. Das ist alles. Standard. Zum Beispiel, Frage 7 b: Waren Sie und Ihre Frau empathiefähig?

Was soll das heißen?

Die Fähigkeit, Empfindungen einer anderen Person zu erkennen und zu verstehen. Oder 14 a bis 14 k: Zehn Fragen zu Ihrem Leben, bei denen es keine richtigen oder falschen Antworten gibt. Einfach ein Kreuz machen. Lassen Sie sich Zeit.

Ich nehme das Formular vom Schreibtisch und gehe zum Fenster. Dort studiere ich den Himmel über Bern. Und denke kurz nach, wie wir früher nachts ziellos über Autobahnen gefahren sind. Die Kinder schliefen zu Hause. Schlechtes Gewissen kannten wir nicht. Die Nacht befreite uns von den Gesetzen der Realität. Alles war möglich.

Ja, wir waren empathiefähig.

Dann kreuzen Sie Ja an. Und gleich zur nächsten Frage: War Ihr Selbstverständnis durch ein falsches Gefühl der Überlegenheit und exzessives Anspruchsdenken definiert?

Ich blicke über die Schulter zu Jungi.

Verstehe die Frage nicht.

Ist eigentlich eine Standardfrage. Nach unserem ersten Gespräch vor sechs Monaten hat Ihnen unser Psychologe eine narzisstische Persönlichkeitsstörung attestiert. Sie erinnern sich. Sie haben das auch nicht abgestritten. Sie erklärten es uns mit Ihrem Lebenswandel in Hollywood.

Genau. Und was soll das jetzt heißen? Narzissmus ist doch eine ziemlich verbreitete Störung in der heutigen Gesellschaft, oder? Aber eine Gefahr für die Kinder?

Kinder von solchen Eltern sind programmiert, ständig Bestätigung zu suchen und keine zu bekommen. Ist Ihnen so was an Ihren Kindern aufgefallen?

Nichts ist mir aufgefallen.

Dann kreuzen Sie Nein an. Doch bedenken Sie: Man kann seine Kinder auch verletzen, ohne sie zu schlagen. Also einfach ein Kreuz machen.

Nächste Frage: War Ihre Liebe zu den Kindern an Bedingungen geknüpft?

Wir haben ihnen Disneyland versprochen, wenn sie gute Noten nach Hause bringen. Das war alles.

Haben Ihre Kinder Liebe bekommen? Echte Liebe?

Echte Liebe? Ich glaube schon. Ja.

Lassen Sie sich Zeit, Herr Kummer. Denken Sie gut nach. Überlegen Sie sich auch, wie Ihre verstorbene Frau geantwortet hätte. Beantworten Sie die restlichen Fragen, und dann unterschreiben Sie.

Ich lausche dem Knirschen meiner Kiefer und betrachte die vielen Kreuze auf meinem Papier.

Echte Liebe?

Was für ein einfaches Zeichen: das Kreuz.

Dann lege ich das Formular zurück auf den Schreibtisch und entferne mich Richtung Ausgang.

Halt, Herr Kummer, hier unterschreiben.

15

01:24. Warteposition am Mythenquai. Parkplatz Tennisclub Belvoir. Glühwürmchen flimmern in der Luft. Verlorene Tennisbälle im Gebüsch. Zürcher Taxis fahren ostwärts.

Mein Blick wandert in den Schminkspiegel. Das Lämpchen an der Sonnenblende leuchtet viel zu hell. Streiche über die Falten in meinem Gesicht. Drücke auf beide Tränensäcke.

Jean-Luc meldet sich.

Wo bist du?

Am See.

Was machst du?

Schaue mir Wellen an. Kleine, winzige Wellen. Zeit totschlagen.

Tom, es gibt Neuigkeiten.

Stille.

Meine Leute haben mit Frank gesprochen.

Bist du noch dran, Tom? Was ist los mit dir? Freust du dich nicht?

Ich freue mich, Jean-Luc, sage ich und zögere. Aber wieso hat er sich nicht bei mir zurückgemeldet?

Lange Geschichte. Du wirst dich nur unnötig aufregen, Tom. Wichtig ist, dass er bald kommt.

Erzähl schon.

Er soll es dir selbst sagen.

Mach schon.

Er wurde an der Grenze mit Illegalen erwischt.

Ich versuche, Ruhe zu bewahren.

Was heißt das? Und wo?

Sonora-Wüste, eure Gegend.

Stille in der Leitung.

Frank wird noch von der Immigrationsbehörde festgehalten. Ich erkläre dir später mehr. Erledige deinen Job mit dem Doktor. Wag was Neues. Warum danach nicht die Morgensonne über Zürich abwarten? Du schaffst das. Zürich war immer gut zu dir.

Wieso soll Zürich gut zu mir gewesen sein?

Es ist die Heimat deiner Mutter. Du schaffst das!

Er lacht in sein Gerät und beendet das Gespräch.

Ich spüre eine kleine pulsierende Ader am Hals. Vor mir auf dem Parkplatz lehnen zwei Mädchen gegen eine grüne Mülltonne, ein Junge übergibt sich, die Mädchen lachen.

Meine Augenlider werden schwerer. Das Kribbeln unter meiner Haut ist zurück, verstärkt von dem grellen Licht, das von der Straßenbeleuchtung auf den Asphalt strahlt. Die Mittelstreifen leuchten hier bedrohlich. Irgendetwas lastet auf Zürich, das mich in anderen Teilen des Landes unberührt lässt. Sogar der Anblick des Asphalts löst hier Schuldgefühle aus.

Wie soll ich Frank empfangen? Wie wird er mich wahrnehmen?

Schon als kleiner Junge fürchtete ich mich vor Zürich. Meine Großmutter Lilly war Schneiderin, sie wurde immer wieder in Häuser rund um den Zürichsee gerufen. Sie nahm mich manchmal mit, trug mir auf, mich anständig zu benehmen, schließlich sei ich nicht von schlechten Eltern. In den Häusern über dem Zürichsee vermaß meine Großmutter die Körper ihrer Kunden. Ich begegnete den Bewohnern der besseren Gesellschaft von Zürich. Und dann passierte etwas. Die Leute gaben mir Schokolade oder sonst was Süßes und schauten mich an, mit einer Strenge, als ob sie ein höheres Gericht vertraten, das über fremde Besucher richten kann. Es war der gleiche Blick, mit dem mein Großvater meine Mutter gemustert hatte, und der gleiche Blick, den mir meine Mutter später zuwarf. So schauten sie mich alle an, und ich sah irgendwann, wie sich ein Urteil in ihren Blicken bildete: schuldig.

Vielleicht war es gar nicht schlecht, ein wenig in Zürich zu entspannen. Noch diesen einen Job. Dann ist Schluss. Ich steige aus. Diese kleine Ader am Hals. Sie pulsiert wie der Auslöser an Ninas Leica-Kamera. Vielleicht hat sie ja längst eine Dunkelkammer in meinem Kopf eingerichtet, mit Schwarz-Weiß-Negativen, die sie jederzeit zu riesigen Bildern vergrößern kann.

Die Bilder, die ich jetzt sehe, sind noch unscharf, grobkörnig: US-Grenzschützer stehen vor Frank. Er kniet mit hinter dem Kopf verschränkten Armen auf dem Wüstenboden. Es ist ein fast wolkenloser Himmel an der mexikanischen Grenze.

Nina will nichts Böses bewirken. Es gab nie etwas, worüber ich nicht mit ihr sprechen konnte. Wir haben uns gegenseitig vertraut. Wir gehörten zueinander, in jeder Situation war das spürbar, wir hatten die gleichen Interessen und das gleiche Engagement für die wirklich wichtigen Dinge im Leben.

Ich drücke den Fahrersitz in eine noch tiefere Liegeposition.

Warten. Kaum Verkehr am Mythenquai. Freier Blick über das Seeufer, glatt wie ein Spiegel. Höre ihre Stimme, ein Brausen. Im See funkeln Lichter, schneidend kalt. Der Mond kräuselt sich auf seiner Oberfläche. Viele Monde.

Hier bin ich oft mit meiner Großmutter Lilly entlangspaziert.

Habe ihre Hand gehalten, während wir Möwen auf der Landiwiese beobachteten. Sie machten laute Geräusche, als ob sie uns warnen wollten. Großmutter sagte, kreischende Möwen seien kein gutes Omen.

Was für ein Omen?

Meine Großmutter hatte die Angewohnheit, geheimnisvolle Andeutungen zu machen, ohne sie zu erklären. Irgendwann hörte ich auf, ihr zu glauben. Manchmal dachte ich sogar, sie hätte nicht mehr alle Tassen im Schrank. Immer setzten wir uns auf dieselbe Bank bei der Badi Enge, starrten über den See. Im Osten eine Kette dunkelbrauner Berggipfel mit aufgemalten weißen Flecken. Meistens zählte ich die Segelboote, damit die Zeit in Zürich schneller verging.

Jetzt patrouilliert eine kleine Kolonne Umweltschützer am Seeufer entlang. Die Landiwiese hat sich in eine Gedenkwiese verwandelt, in ein Torfmoor. Die Mahnwächter tragen Schilder und Fackeln, sie laufen jeweils dreißig Schritt westwärts, dann wieder dreißig Schritt ostwärts, hin und her. Wie Militärs. Sie tragen Kopfhörer, studieren beim Laufen ihre Smartphones, manchmal knien sie sich hin, berühren den Boden, lassen Erde durch ihre Finger rieseln, scheinen auf etwas zu lauschen.

Torfmoorböden haben einen großen Vorteil, Tom. Sie mumifizieren die Leichen.

Was soll das für ein Vorteil sein, Baby?

Es gibt Böden, in denen Leichen verwesen, und andere, die sie konservieren.

Woher weißt du das?

Ich weiß es einfach. Manche Böden sind für rasche Verwesung bekannt, richtige Fleischfresserböden, besonders auf der anderen

Seeseite. Hottingen, Sonnenberg, Hirslanden. Dort geben Leichen eine Menge Nährstoffe an den Boden ab.

Nährstoffe für den Zürcher Boden. Fördert die Vielfalt der Pflanzenwelt.

Und was ist das Letzte, was vom Menschen verwest?

Die Knochen, Dummy. Du solltest dich besser auf deinen Tod vorbereiten.

Okay, die Knochen. Hab ich mir fast gedacht.

Wusstest du eigentlich, Tom, dass nach dem Sterben noch eine Erektion möglich ist?

Eine Erektion nach dem Tod? Du bist verrückt, Baby!

Sie lacht mit rauchiger Stimme, sie lacht mich aus.

Nicht so verrückt wie du, Baby!

Hey Mercedes! Hotel Dolder.

Der Wagen startet. Fahre zurück auf die Hauptstraße, Richtung General-Guisan-Quai. Schaue nochmals über die Landiwiese, die Idylle am See. Menschenleer. Noch schläft Zürich.

Mitten im Leben sind wir des Todes, spricht der protestantische Pfarrer aus Altstetten bei der Abdankung. Es weinen Frauen vom Züriberg, denen meine Großmutter Kleider geschneidert hat.

Mitten im Leben sind wir des Todes, sprechen Pfarrer bei Abdankungen gerne.

Ich habe damals als Zwölfjähriger nicht viel empfunden. Wollte einfach nur weg aus der vollen Kirche mit Hunderten von schwarz gekleideten Trauergästen. Wie zuvor beim Tod meines Vaters. Dieses Heer von Trauernden. Wie Militärs bei einer Parade.

Habe beides gut überstanden, obwohl mir so eine Zeremonie peinlich war. Lilly und mein Vater Hans waren unvermeidliche Tote. Fühlte erstmals richtige Einsamkeit, vielleicht auch ein Bedauern.

Aber kein Leid. Leid ist anders. Leid kommt in verdammten Wellen. Leid löscht den Alltag aus, macht die Augen blind, wie bei Geisterfahrten. Der Boden zittert. Es kommt auf uns zu, es rast unter uns hindurch, wie eine U-Bahn, dann ist es wieder fort. Angeblich.

Ich betrachte jetzt meine Fahrerhandschuhe, sehe, wie die beiden Zeigefinger auf das Lenkrad klopfen. Das grüne Licht flackert in der Frontscheibe. Dahinter das glitzernde Wasser des Zürichsees, ein rotes Licht über Zollikon.

Sag unseren Jungs einfach die Wahrheit, Tom. Dass Daddy Mama vermisst und ohne sie nicht leben kann.

Die Wahrheit sagen?

Ja.

Dass ich deine Wahrnehmung versüße. Immer und immer wieder.

Erzähl unseren Jungs einfach die Wahrheit.

Die Wahrheit?

Ja. Du musst der Wahrheit ins Gesicht blicken!

Welcher Wahrheit?

Der Wahrheit vom Ende.

Der Asphalt scheint sich jetzt unter den Rädern zu wellen. Die Wellen kommen vom See. Gletscherabbrüche regulieren den Schweizer Wasserstand. Felsen verlieren ihren Zusammenhalt mit dem Berg. Das Land zerfällt.

Hey Mercedes! Wo sind wir?

Bürkliplatz, antwortet Mercedes.

Noch vier Stunden bis zur Dämmerung. Schlucke eine blaue Pille. Professionell bleiben. Gleite langsam über die Quaibrücke. Ein zusammengestürztes Dock ragt aus der Limmat. Glänzendes

Schwemmholz treibt Richtung See. Umfahre das Bellevue, dann biege ich ab in die menschenleere Rämistraße. Vorbei an der Kronenhalle, wo ich öfter auf Passagiere warte. Tote Gegend. Polizei patrouilliert in der Hottingerstraße. Schließe die Augen. Mehr als fünf Sekunden Geisterfahrt schaffe ich auch in Zürich nicht.

Ich fahre vor das Hotel Dolder. Doktor Azikiwe steht bereit, flankiert von Hotelangestellten.

Der Doktor trägt einen weißen Boubou, mit aufwendigen Stickereiborten in traditionellen Mustern. Ich steige aus, begrüße meinen Passagier, versuche, ihm den Handkoffer abzunehmen. Er lässt es nicht zu.

Ich halte ihm die Tür zum Fond auf. Er steigt ein, wirft den Koffer neben sich, lehnt sich auf dem weichen Leder zurück, es ist kühl, es ist sauber.

Ich steige ein, schließe die Tür.

Abfahrt. Der Nachtportier des Dolder steht immer noch Spalier. Doktor Azikiwe öffnet sofort das kleine Kabinett, in dem sich ein Eiskühler mit Mineralwasser und Mini-Champagnerflasche befinden.

Muss ich den selbst entkorken?, fragt der Doktor und lacht.

Ich drehe mich um.

Nein Monsieur, ich kann es gerne für Sie tun.

Ach, lassen Sie. War nur ein Spaß. Ich muss noch arbeiten.

Haben Sie es bequem, Monsieur?

Oh ja.

Brauchen Sie irgendwas?

Bin rundum zufrieden, danke.

Er beugt sich vor, händigt mir einen Zettel aus, auf dem Adressen angegeben sind. Erst jetzt fallen mir seine breite Nase, seine stark hervortretenden Augenbrauenwulste und sein mahlender Kiefer auf. Er riecht nach Knoblauch und billigem Rasierwasser. In seinem halboffenen Mund blitzen Goldzähne.

02:59. Fahren Sie mich zuerst auf die andere Uferseite. Bringen wir es hinter uns.

Doktor Azikiwe spricht jetzt Französisch.

An die Adresse in Kilchberg oder Wädiswil, Monsieur?

Kilchberg, bitte.

Hey Mercedes! Seestraße 197, 8802 Kilchberg.

Sagen Sie mir Bescheid, wenn Sie etwas brauchen, Monsieur.

Doktor Azikiwe schiebt sich näher an mich heran.

Ich lebe jetzt seit über zwanzig Jahren in diesen Breitengraden.

Der Doktor lacht.

Und wissen Sie, was mir gerade passiert ist? Ich stehe in der Lobby, und da sagt eine leicht beschwipste Zürcher Lady zu mir, ich sehe aus wie Denzel Washington. Wer zum Teufel ist Denzel Washington, wissen Sie das vielleicht?

Ein afroamerikanischer Hollywoodstar, sage ich.

Schweigen.

Habe ich mir fast gedacht. Wissen Sie, was ich dann gesagt habe?

Keine Ahnung, Monsieur.

Ich habe ihr erklärt, dass ich nicht Washington heiße, sondern Azikiwe, und das sei der erstplatzierte Nachname Afrikas und bedeute übersetzt »volle Kraft«.

Er lacht jetzt noch ein bisschen breiter und öffnet dazu seinen Aktenkoffer.

Natürlich fand das die Dame und ihre Begleitung nicht besonders lustig, sie fühlten sich sofort von mir bedroht. Oder taten jedenfalls so.

Man kann heute nicht vorsichtig genug sein, Monsieur.

Vorsichtig? Wissen Sie, wer der bekannteste Vertreter meines Nachnamens ist?

Ich überlege kurz, jongliere Namen nigerianischer Fußballspieler im Kopf: Jay-Jay Okocha, Taribo West, John Obi Mikel, Victor Moses …

Keine Ahnung, Monsieur.

Er heißt Nnamdi Azikiwe, erster Staatspräsident Nigerias, von 1963 bis 1966. Er hielt auch den Titel *The Great Zik of Africa*, der wichtigste Politiker Westafrikas in der Übergangsphase vom Kolonialismus zur Unabhängigkeit. Ein ganz großer Freund der Schweiz. Und ein cleverer Investor. Seine Verwandten kommen noch heute regelmäßig zu Besuch, sie besuchen mich und ihr geliebtes Zürich. Natürlich besuchen sie auch ihren Familienschatz am Paradeplatz. Volle Kraft voraus.

Zurück am See. Wollishofen.

Wissen Sie, wenn mich Frauen anmachen, wie diese Zürcher Lady mit ihrem Denzel-Washington-Vergleich, wenn in ihren Augen diese Black-Magic-Sehnsucht aufleuchtet: Brechen Sie mich auf, *Doc, please, please, me!* Dann verspüre ich als Schwarzer auch das Recht, ja, die Pflicht, eine verborgene Schicht offenzulegen. Ich lebe jetzt schon eine ganze Weile in Zürich, bin Arzt, Respektsperson und afrikanischer Single in der Schweiz. Noch nie gab es Frauen, die mir Übergriffigkeit vorwarfen. Ich beherrsche mich. Ich bin sanft, ich bin witzig, ich bin charmant. Frauen fühlen sich von mir gut unterhalten, weiter gehe ich nicht. Ich kleide mich immer noch traditionell, obwohl ich mich auch als Schweizer fühle. Weil mich dieses Land umarmt hat. Aber natürlich schlägt mein Herz afrikanisch, und es pumpt auch afrikanisches Blut durch meinen Körper. Aber die verborgene Schicht darunter, die kann ich natürlich nicht mehr offenlegen, ohne Gefahr zu laufen, als gefährliches Tier zu erscheinen.

Welche Schicht?

Das bedrohliche Blitzen meiner Augen zum Beispiel.

Er wirft sich zurück ins weiche Leder und lächelt.

Was soll an Ihnen bedrohlich sein, Monsieur?

Ich lächle.

Schauen Sie sich doch mal meine Augen an. Es sind die Augen eines skrupellosen, sich keiner Schuld bewussten Schwarzen, der sich nimmt, was er haben will. Einer der sein Vergnügen haben will und sich nicht um die Folgen kümmert! Verstehen Sie, was ich meine?

Dieses Gefühl eines ungezähmten Wilden?

Ich lache in den Rückspiegel.

Genau! Erfasst, Monsieur Tom. Den Wilden aus Afrika, volle Kraft voraus. Kennen Sie das Gefühl?

Nicht wirklich.

Der Doktor lacht, schaltet das Leselämpchen an. Weiße und goldene Zähne leuchten in einem rosafarbenen Mund, eingerahmt von Schwärze.

Schweigen.

Lichter brennen sich in die Windschutzscheibe. Sie rasen wie Nadelspitzen auf mich zu, bohren sich in meine Augen, lassen die Häuser von Wollishofen eines nach dem anderen auflodern, zerschneiden die Umgebung wie Laserstrahlen.

Der Doktor beugt sich wieder vor.

Sind das Ihre Kinder auf dem Foto?

Ja.

Diese Frau auf dem Bild …

Er hält inne.

Diese Frau muss Nina sein.

Als er ihren Namen nennt, drehe ich meinen Kopf erschrocken in seine Richtung. Der Doktor ist mir jetzt ganz nah.

Wieso kennen Sie ihren Namen?

Er lehnt sich zurück.

Jean-Luc hat mir alles erzählt.

Schweigen.

Erkenne Flecken auf der Windschutzscheibe. Kein Gegenverkehr. Der Himmel hängt schwer und schwarz über den Dächern von Bendlikon, die Menschen in der Vorstadt schlafen noch.

Ich habe mich immer gewundert, Tom. Ich darf Sie doch beim Vornamen nennen, oder?

Natürlich, Monsieur.

Ich habe mich immer gewundert, dass Sie sich nicht schon früher mit mir in Verbindung gesetzt haben. Ich bin sicher, Jean-Luc hat Ihnen von mir erzählt.

Hat er nicht.

Alle anderen Fahrer haben mich privat konsultiert. Das war Jean-Luc wichtig.

Das wusste ich nicht.

Haben Sie sich nie gewundert, wieso Ihre Kollegen so gut drauf sind und professionell arbeiten? Es sind Flüchtlinge, in Gottes Namen. Viele sind sogar recht gut gebildete Afrikaner. Aber seelisch und mental ziemlich angeschlagen.

Die Jungs erscheinen mir voll in Ordnung.

Ich habe ihnen dabei geholfen, den Schrecken ihrer Flucht zu überwinden.

Er legt seine Hand freundschaftlich auf meine Schulter.

Das ist auch mein Werk. Ich habe ihnen neues Leben in einem fremden Land eingehaucht.

Wieso erzählen Sie mir das?

Weil Sie sich vielleicht vorstellen können, dass es kein Zufall ist, dass ich in Ihrem Wagen sitze. Gewöhnlich fährt mich Willi. Willi ist mein persönlicher Chauffeur. Aber heute Nacht wollte ich Sie kennenlernen, Mister Tom. Habe schon viel von Ihnen gehört.

Danke für Ihr Vertrauen, Monsieur. Hoffe, Sie haben nur Gutes gehört.

Nichts zu danken.

Was für ein Doktor sind Sie, wenn ich fragen darf?

Ein Heiler, und das schon sehr lange. Ich heile Menschen, die sich vielleicht gerade auf der dunklen Seite des Lebens aufhalten.

Ein Heiler, kein Arzt?

Ich praktiziere eine Heilslehre, die schon seit Tausenden von Jahren in Zentralafrika angewandt wird.

Und wer nimmt Ihre Hilfe in Anspruch?

Führungspersönlichkeiten, Menschen unter Hochspannung.

Heilslehren sind nichts für mich, Monsieur.

Da wäre ich mir nicht so sicher, Mister Tom. Wenn Sie mich konsultiert hätten, dann wären Sie jetzt nur mit Ihrem Körper anwesend, und müssten sich nicht vor den Wellen fürchten, die immer und immer wieder über Sie hinwegrollen werden.

Welche Wellen, Monsieur?

Er klopft mir auf die Schulter, lächelt und lehnt sich zurück.

Wellen, die kommen, Mister Tom. Und Ihre Knie weichmachen. Nahezu jeder, der Leid, Todesangst oder große Trauer erfahren hat, erwähnt das Phänomen der Wellen.

Ich kenne nur die Wellen am Strand von Venice Beach.

Ich lächle ihn an. Ich strecke mein Bein aus, strecke meine Zehen. Meine Waden schmerzen. Ein Krampf vielleicht.

Ich weiß genau, was Sie durchmachen. Es sind Wellen von Schmerz, die jeweils zwanzig Minuten bis zu einer Stunde andauern, das Gefühl einer zugeschnürten Kehle, Erstickungsanfälle mit Atemnot. Lassen Sie sich helfen.

Monsieur, danke für das Angebot. Aber ich habe Kopf und Körper ganz gut unter Kontrolle. Schließlich will ich Sie sicher von A nach B fahren.

Leid hat die Macht, unseren Verstand zu verwirren. Leid bringt schwere Abweichungen vom normalen Verhalten mit sich. Ich kenne mich aus mit diesem Leid. Das steht übrigens schon in *Trauer und Melancholie* von Sigmund Freud, das erste Buch eines weißen Europäers, das ich jemals gelesen habe.

Schweigen.

Hier in diesen Breitengraden herrscht Zukunftsangst, Todesangst, die Menschen in Mitteleuropa sind bedrückt. Trotzdem fällt kaum jemandem ein, die Trauer, die auf das Leid oder die Angst folgt, als einen krankhaften Zustand zu betrachten und einem Arzt zur Behandlung zu übergeben.

Schweigen.

Monsieur, ich lebe nicht in einer Nine-to-five-Realität wie alle anderen. Ich arbeite nachts. Im Übrigen werde ich von meinen Söhnen bei der Trauerarbeit unterstützt.

Ihre Söhne?

Ja.

Der Schmerz in meinem rechten Fuß nimmt zu. Ein Krampf. Passiert mir immer wieder am Steuer. Beginnt in den Zehen, dann der Fuß.

Sollten nicht Sie sich umgekehrt um das Wohlergehen Ihrer Jungs kümmern?

Wissen Sie, Monsieur, die körperliche Anwesenheit von Vince und Frank geben mir Kraft. Wir sorgen füreinander. Wir geben uns Nähe.

Das funktioniert?

Ja.

Der Doktor blickt durch das Seitenfenster, über den schwarzen Zürichsee.

Und jetzt? Jean-Luc hat mir gesagt, einer Ihrer Söhne macht Schwierigkeiten. Ist es Frank?

Ja, Frank in L. A.

Wie fühlt sich das an?

Es war eine schwierige Zeit für mich, gebe ich offen zu.

Ich blicke mich kurz um.

Aber einen 560er Mercedes sicher steuern kann ich jederzeit, selbst, wenn ich nicht in Höchstform bin.

Ich lächle den Doktor im Rückspiegel an. Er nickt mir zu.

Das hoffe ich doch sehr, Mister Tom.

Kilchberg. Seestraße. Wir gleiten am alten Hauptsitz des Schokoladenherstellers *Lindt & Sprüngli* vorbei. Gleich gegenüber liegt unser Reiseziel, so zeigt es der Monitor an. Ein Handwerksbetrieb, *Boesch Motorboote*, befindet sich dort. Google gibt an: *Hersteller von Luxusmotorbooten.*

Doktor Azikiwe hat seinen Aktenkoffer geöffnet. Ein rotes Etui erscheint. Er zieht einen Minibohrer hervor und prüft eine dünne Bohrspitze.

Mister Tom, hören Sie mir jetzt gut zu: Ich hatte fünf Söhne in Nigeria. Drei sind gestorben. Alle vom Ebola-Fieber weggerafft. Jene Söhne, die überlebt haben, hatten ein besonderes Merkmal auf dem Schädel. Die Fontanelle war nicht zugewachsen.

Fontanelle?

Ja, diese Knochenlücke im Schädel, die gewöhnlich von harter Hirnhaut überzogen ist. Ein besonderer Fleck am menschlichen Körper. Haben Sie Ihrem Neugeborenen nach der Geburt über den Hinterkopf getastet?

Ja, habe ich.

Das ist die Fontanelle. Neugeborene kommen mit einem unverschlossenen Schädel auf die Welt. Aber das haben Sie als zweifacher Vater bestimmt gewusst.

Er sprüht jetzt die dünne Bohrspitze mit einem Spray ein. Dann putzt er sie trocken. Die Spitze glitzert wie ein Diamant.

Mister Tom, mit dem Erreichen des Erwachsenenalters sind die Knochen des Schädels mit Nähten fest zu einem Schädeldach verbunden. Der Erwachsene verliert den Kontakt zu seinen Träumen, sein mentales Gleichgewicht wird von Egoismen und Neurosen beeinträchtigt.

Er steckt jetzt den chirurgischen Bohrer wieder in das rote Etui und lässt ihn im Aktenkoffer verschwinden. Dann legt Doktor Azikiwe seine Hand auf meine Schulter.

Wissen Sie, Zustand und Grad des menschlichen Bewusstseins im Trauerzustand stehen in direkter Abhängigkeit zum Blutvolumen des Gehirns. Der Trauernde ist krank. Trauernde durchlaufen einen manisch-depressiven Zustand. Und das betrifft nicht nur Menschen, die ihren Nächsten verloren haben. Wir leben in einem schizophrenen Zeitalter. Im Zeitalter des Narzissmus und gleichzeitig im Zeitalter der Hypermoral. Wir betrauern alles mit derselben Intensität, nicht nur das Sterben unserer Nächsten, sondern auch unsere Erfolglosigkeit, den Tod unseres Smartphones, unser Scheitern im Beruf und in der Liebe, wir betrauern das Ende der Wale, der Ozeane, des Regenwalds, auch den Tod unseres geliebten Zierfisches oder Schoßhündchens, die Klimakatastrophe genauso wie die sexuelle Gewalt gegen Frauen und Kinder, den schlechten Internetempfang genauso intensiv wie die Flut von Plastik in den Weltmeeren, das Gletschersterben genauso wie das drohende Ende der Welt. Junge Eltern in Zürich wollen heute keine Kinder mehr. Weil sie denken, unsere Welt wird es nicht mehr lange geben. Kinder wohlhabender Eltern denken so. Stellen Sie sich das vor. Sie haben alles, aber sie wollen keine Kinder mehr. Weil sie schon jetzt an den Weltuntergang denken.

Er lächelt. Wir halten an. Er öffnet die Tür und steigt aus. Dann beugt er seinen Oberkörper nochmals ins Wageninnere.

Schauen Sie sich in Kilchberg um. Schöner Ort um diese Zeit, kein Mensch weit und breit. Und der Ort hat ein wunderbares Wappen.

Wappen?

Ja, in Blau eine vierblättrige silberne Blume mit goldenem Butzen. Gefällt mir sehr gut. Das Wappen ziert meinen Landsitz in Nigeria.

Er schlägt die Tür zu und kommt nochmals an das vordere Seitenfenster. Ich lasse die Scheibe automatisch runter.

Es gibt in Kilchberg einen schönen Friedhof, Mister Tom. Der könnte Sie interessieren.

Er entfernt sich vom Wagen und dreht sich ein letztes Mal um.

Bin in circa vierzig Minuten wieder zurück, schicke Ihnen eine Nachricht.

Er überquert die hell erleuchtete Seestraße, läuft gut zehn Meter stadteinwärts bis zu einem dunklen Eingangstor. Dort drückt er einen Code und wendet dann sein Gesicht einer Überwachungskamera zu. Das Haupttor öffnet sich. Sein weißes Gewand leuchtet im grellen Licht der Sicherheitsscheinwerfer.

Wieso ließ sich der Doktor nicht direkt vor dem Eingangstor absetzen?

Hey Mercedes! Friedhof Kilchberg, Zürich.

Fahre eine Warteschleife. Noch nicht sicher, welche Warteposition passt.

Lasse Google-Search eingeschaltet, liefert automatisch Informationen zu meiner Position. Fahre an der alten Landstraße 39 vorbei, *das letzte Heim der Familie Mann nach dem Exil.*

Bis zur Dorfstraße, dann rechts ab bis zum Friedhof Kilchberg.

Warten auf dem Parkplatz. Zeit totschlagen.

Instagram prüfen. Keine Nachricht von Frank.

Es bleiben noch gut dreißig Minuten.

Dunkelheit. Zeit totschlagen.

Ein Eingangstor. Dahinter der Friedhof. Noch fünfzehn Minuten. Zeit totschlagen.

Drücke jetzt meine Hand zwischen die Beine. Betrachte eine Blutbuche an der Friedhofsmauer. Aus dem Wald dahinter steigt ein dünner Rauchfaden auf. Ein kahler, eisengrauer Wald. Der Friedhof eingekesselt von Feldern, auf denen Wellenmuster zu erkennen sind. Wellen alter Eggenfurchen auf ausgetrockneter, toter Erde. Wellen überall.

Vielleicht hatte Doktor Azikiwe doch recht. Vielleicht habe ich vor einigen Tagen schon mal hier am Zürichsee gestanden. Und dabei auf die Wellen gestarrt. Vielleicht habe ich nach Delphinen gesucht, die sich weigern zu fressen, nachdem ihr Partner gestorben ist. Meine Erinnerungen sind löchrig, wie zerschossen. Ich habe ihre Stimme gehört. Und mir ist jetzt, als hätte ich damals ihre Silhouette im Wasser gesehen.

Ich lege meinen Arm über die Kopfstütze des Beifahrersitzes. Ich versuche ihren Hinterkopf zu erspüren, ihren weichen Schädel, die *Fontanella,* oder wie man das nennt, überzogen von grauem Filz. Ich kann aus dem Augenwinkel ihr Gesicht sehen. Ich traue mich nicht, meinen Kopf zu drehen. Ihre rechte Gesichtshälfte hängt tiefer als die linke und beult sich aus wie das tote, kalte, blutunterlaufene Auge eines Tiefseefisches.

Ich darf jetzt nicht einschlafen. Schalte das Radio auf Südwestfunk: ... *1933 begannen für Thomas Mann in Zürich die Jahre des Exils. Sie fanden erst 1954 ein Ende, als das Anwesen am Zürichsee gekauft war und die letzte Adresse sein sollte. Man konnte die Lübecker Schränke und Lampen aufstellen, und im ersten und zweiten Stockwerk waren Räume für alle Kinder. Der Nachbar, Herr Sprüngli auf der einen Seite, und eine Apothekerfamilie auf der anderen, waren sympathische, freundliche Leute. Man fühlte sich wohl und geborgen in Kilchberg. Da sind die Spaziergänge mit dem Hund, über Wiesen auf denen Zicklein und Lämmer geboren wurden, und an Wäldern mit Blutbuchen vorbei, in denen es Rehe und Füchse gab. Gelegentlich ging man ins Gasthaus Zum Löwen, zu einem Mittagessen mit Forelle blau und Rösti und einem guten Schoppen Wein ...*

Dem Herrn Thomas Mann hätte ich meine Situation bestimmt erklären können. Wäre sicher ein Supervater gewesen für mich. Der hat mir echt gefehlt. So ein Typ. Er hätte auch Verständnis für meinen heutigen Zustand gehabt. Dass ich ständig Ninas Stimme höre, hätte ihn bestimmt nicht verwundert.

Und warum ist das so?

Vielleicht, weil ich mein Leben extrem stark um meine Frau gebaut habe, Herr Mann. Meine ganze Wirklichkeit scheint heute in einem tiefen Zusammenhang mit ihrem Tod zu stehen. Fast so, als ob ich einer perversen Nekrophilie verfallen wäre.

Und Herr Mann hätte sich dann vielleicht meine freie Hand genommen und sie im Mondlicht ein bisschen betrachtet und gesagt:

Pervers? Was für ein pfuscherisches Wort. Machen Sie sich bitte keine Gedanken, mein Sohn. Mein Leben zum Beispiel kreiste um die Päderastie.

Echt?

Das Resultat war *Tod in Venedig.*

Habe ich gelesen, Herr Mann. Heute würde dieses Werk einen Skandal auslösen, Herr Mann. Sie stünden als Pädophiler da, Herr Mann.

Ach, ich bitte Sie, mein Sohn.

Das können Sie heute nicht mehr auf die leichte Schulter nehmen. Neben Antisemitismus ist Pädophilie das Schlimmste, was man einem Menschen vorwerfen kann.

Das glaube ich nicht. Ich kann mich jedenfalls nicht erinnern, dass *Tod in Venedig* die literarische Öffentlichkeit empört hätte.

Echt? Wie ist das möglich? War man in Fragen der Sexualmoral damals toleranter?

Es bedeutet ganz einfach, dass man eher bereit war, einen Text vor allem nach seiner ästhetischen Qualität zu beurteilen, und weniger nach seinem Stoff …

03:48. Ich starre noch eine Weile auf meine Tränensäcke.

Blick in die Seitenspiegel. Bewegungen in der Dunkelheit.

Da waren Bewegungen. Jetzt ganz deutlich im Rückspiegel zu erkennen. Drei Männer nähern sich meinem Wagen. Uniformierte. Einer stellt sich vor die Kühlerhaube, direkt ins Scheinwerferlicht. Die beiden anderen stehen je auf einer Seite meines 560er. Einer hält eine Taschenlampe, er hat sich leicht hinter der Tür aufgestellt, so, dass ich ihn nicht erkennen kann. Er leuchtet meine Armaturen mit der Taschenlampe ab. Ich lasse das Seitenfenster herunter.

Guten Abend, meine Herren, sage ich locker auf Berndeutsch.

Sie antworten nicht. Erst jetzt erkenne ich einen Schriftzug auf der Uniform: *Securitas*.

Was machen Sie hier?, fragt der Uniformierte mit Taschenlampe in schwerem Zürcher Dialekt.

Einfach warten, sage ich. Auf meinen Passagier warten.

Der Mann leuchtet jetzt das Wageninnere aus.

Und das ist Ihr Wagen?

Er blendet mir unbeabsichtigt ins Gesicht.

Schön wär's, sage ich. Bin nur der Chauffeur.

Er schaut kurz zu seinem Kollegen. Der nickt.

Um diese Zeit warten Sie vor einem Friedhof?

Ja.

Der Uniformierte schaltet seine Lampe aus.

So ist das halt in meinem Job. Immer Warten. Wenn's geht, dort, wo das Halten erlaubt ist.

Ich grinse ihn an.

Mit Ihrem Nummernschild ist das ja kein Problem. Gibt es einen bestimmten Grund, wieso sie gerade hier auf Ihren Passagier warten?

Ich schüttle den Kopf.

Ist einfach ein ruhiger Platz, an dem man die Augen kurz schließen kann. Und wenn's nicht klappt mit dem Schlafen, dann kann ich wenigstens diese wunderschöne Blutbuche da vorne betrachten.

Ich lächle zurück. Er starrt mich jetzt nervös an.

Welche Buche?

Dort, die Blutbuche.

Die drei Uniformierten starren in die Schwärze. Sie können die Blutbuche nicht erkennen.

Wissen Sie, wir haben hier nachts ein Problem mit Männern, die angeblich einfach so in ihren Autos warten. Und solchen, die einfach so um den Friedhof spazieren. Angeblich. Keine schöne Sache, direkt vor einem Friedhof.

Verstanden. Nun, ich bin keiner dieser Männer.

Kann ich jetzt fahren, meine Herren?

Die Uniformierten starren noch immer Richtung Friedhof. Offenbar können Sie die Blutbuche immer noch nicht erkennen.

Wünsche Ihnen noch eine gute Nacht, meine Herren.

Ich lasse das Seitenfenster automatisch hochfahren und schere rückwärts aus dem Parkplatz, hinter mir steht ein blauer VW Kastenwagen mit dem offiziellen *Securitas*-Logo und dem kleinen Zusatz: *Kilchberg Patrouille.*

03:54. Seestraße. Der Doktor steht bereit. Ich fahre vor. Er öffnet die Tür, er sieht besorgt aus, er wirft den Koffer auf die Rückbank und rutscht hinterher auf den Ledersitz. Er legt seinen Kopf nach hinten und atmet ruhig ein, gefolgt von kontrolliertem Ausatmen. Dann atmet er schneller, pumpt Luft in seinen Körper. Als ob er sich in entfernte Zonen seines Rückgrats oder seines Schädels hineinfühlt.

Alles okay, Monsieur?

Ja, fahren Sie endlich los.

Hey Mercedes! Seegartenstraße 180, Horgen.

Nein. Drehen Sie um. Fahren Sie mich nach Hause!

Sein Tonfall ist anders, härter. Die heitere Melancholie wie ausgelöscht.

03:59. Wollishofen. Die Lichter im Zürichsee funkeln. Noch kein Leben vor Zürich. Ein gelbes Licht nahe Rote Fabrik.

Können Sie bitte schneller fahren, Chauffeur.

Ja, Monsieur.

Erst jetzt erkenne ich Blutflecken auf dem weißen Boubou mit den Stickereien.

Stille.

Ich fahre Sie jetzt zurück ins Hotel?

Nein, fahren Sie geradeaus. Alfred-Escher-Straße, dann Gotthardstraße, und rechts rein, Tödistraße. Dort anhalten.

04:04. Warteposition. Der nigerianische Arzt hat das Haus Tödi-straße 27 betreten. *Cornèr Bank, Lugano.* Prüfe Franks Instagram Account. Keine Nachricht. Ich lausche einem fernen Brausen, lege den Kopf auf das Lenkrad, schlafe kurz ein. Schön ruhig bleiben. Nicht verrückt machen lassen. Jongliere mit Fakten. Hat mich bis jetzt noch immer beruhigt.

1. Alles ist nur mein Versuch, der Trauer einen Sinn abzugewinnen.
2. Alles nur eine Phase. Diese Phase kann nicht mehr lange dauern. Aber es ist wichtig zu trauern.
3. Jean-Luc hat recht. Leg dich in Zürich aufs Ohr. Entspann dich!
4. Nimm dir ein Mädchen, oder zwei.
5. Stell dir vor, es wäre Ninas Körper.
6. Glaub an dich: Du bist auf dem Weg der Besserung.
7. Glaub an dich: Du bist ein guter Vater.
8. Glaub an dich: Deine Jungs sind gut geraten.
9. Bald verlässt du die Welt hinter der Windschutzscheibe.
10. Bald sind wir wieder zusammen.

04:44. Die Tür öffnet sich, der Doktor steigt ein.

Bitte nicht schlafen, Chauffeur. Jetzt geht's nach Hause.

Von der Tödistraße zum Bleicherweg. Zürich erwacht. Aber nur langsam. Paradeplatz. Möwen schweben über dem *UBS*-Logo. Zwei asiatische Touristen hocken vor der *Credit Swiss*-Hauptzentrale, essen Nudeln mit Stäbchen aus Plastikbehältern. Männer der *Securitas* kontrollieren die Eingangstüren zur Confiserie *Sprüngli*.

Poststraße. Bei *House of Hair* hält ein älterer Mann einen Jungen eng an sich gedrückt unter einer Steppdecke. Sie schleppen sich zu einem Geschäft über dem steht: *Optiker Zwicker.* Der Junge klammert sich an den Mann, den Kopf an seine Brust gepresst.

Münsterbrücke. Schwäne gleiten über dem Limmatquai, Krähen über der Kreuzstraße. Sie folgen uns. Blaulicht am Kreuzplatz.

Mein Passagier beugt sich vor.

Wann sehen wir uns wieder, Monsieur Tom?

Weiß nicht. Jean-Luc ist für meinen Arbeitsplan zuständig.

Haben Sie sich nicht gefragt, was ich in meinem Köfferchen herumtrage?

Habe ich nicht. Geht mich nichts an.

Fair enough. Ich sage es Ihnen trotzdem, weil ich finde, Sie sollten es sich überlegen.

Was?

Meine Methode.

Ich kann mir nichts darunter vorstellen.

Alles, was Sie in der Welt in Trauer versetzt, wird sich auflösen.

Klingt nach einer guten Sache, Monsieur.

Es reicht ein winziges Loch in der hinteren Schädeldecke.

Schweigen.

Es wird Ihr Gehirn von dem Druck des Schädels befreien.

Er krümmt sich und lächelt.

Schweigen.

Sie glauben mir kein Wort, oder?

Kann es mir schlecht vorstellen.

Okay. Ich stehe unter Hokuspokus-Verdacht.

Ich verdächtige meine Passagiere nie.

Haben Sie schon mal von Trepanation gehört?

Keine Ahnung, Monsieur. Eine neue Heilslehre?

Eine alte Heilslehre. Wird heute von tibetanischen Mönchen praktiziert und in Afrika schon seit Urzeiten angewandt.

Klingt tatsächlich nach Hokuspokus, wenn ich ehrlich sein darf, Monsieur.

Sie haben zu lange in Hollywood gelebt, *mon vieux*. Meine Arbeit basiert auf konkretem Wissen: Der Zustand des menschlichen Bewusstseins hängt vom Blutvolumen des Gehirns ab. Meiner Evolutionstheorie zufolge brachte der aufrechte Gang zwar Vorteile für die Menschheit, hat aber auch dazu geführt, dass sich der Blutfluss im Gehirn und damit die Bandbreite der Bewusstseinszustände verringert.

Und ein winziges Loch im Schädel soll das ändern?

04:53. Klosbachstraße.

Wissen Sie, Monsieur Tom. Sie können über einen nigerianischen Arzt denken, was Sie wollen. Ich hatte viele prominente Schweizer Patienten, die meine Methoden zuerst anzweifelten. Danach habe ich ihr Leben gerettet. Afrika mag in großes Leid getaucht sein. Aber Afrika schafft es, den Tod und die Trauer als Teil des Lebens zu feiern. Wieso ist das so? Wieso erfahren wir Afrikaner das Sterben als das, was es ist: ein großartiger Übergang? Und die Trauer als große Party? Eine Generation stirbt, die andere übernimmt. Die Toten existieren trotzdem weiter. Wieso schaffen es die Leute im Westen nicht, daran zu glauben?

Schweigen.

Vielleicht weil es nicht stimmt, Monsieur. Realistisch betrachtet verrotten wir.

Realistisch betrachtet? Was meinen Sie damit?

04:55. Titlisstraße.

Wir sind gleich beim Dolder, Monsieur.

Realistisch betrachtet? Als mir kürzlich eine Klimaaktivistin vorgestellt wurde, da war sofort klar, dass hier, realistisch betrachtet, ein fehlgeleitetes Wesen vor mir steht. Von Optimierungswahn und

Weltuntergangs-Paranoia zerstört. Das ist der wahre Hokuspokus. Ich versorge viele skandinavische Patienten, das sind die depressivsten Lebewesen, die mir je begegnet sind.

04:59. Dolderstraße.

Monsieur, kann ich noch irgendetwas für Sie tun?

Der Doktor umfasst mit seinen Händen die beiden Nackenstützen. Er hat seine Arme ausgebreitet wie ein gewaltiger Schutzengel.

Denken Sie daran, für Unerfahrene erscheint meine Technik vage, vielleicht sogar kriminell. Doch die Kriminalisierung entspringt der sträflichen Vernachlässigung einer besseren Körperaufklärung. Und einer radikalen Überarbeitung der Trauerarbeit in der westlichen Philosophie.

Er steigt aus.

Sie wissen jetzt, wo Sie mich finden können, Mister Tom.

16

05:04. Heimfahrt. In Gedanken bei Frank. Vielleicht ist er bis Ende der Woche bei uns. Alles wird still in meinem Kopf. Keine Bilder. Angenehme Dunkelheit im Schweizer Mittelland.

06:25. Dämmerung am Grauholz. Noch schläft Vince. Es bleiben dreißig Minuten, bis ich ihn wecke und sein Frühstück zubereiten muss. Frisch geduscht. Was wünscht er sich heute Morgen? *Reeve's Puffs*? Vince bevorzugt die Familienpackung mit dem Foto von Rapper Travis Scott auf der Vorderseite.

Fahre den 560er direkt von der Autobahn in die Casino-Garage, kein Abstecher zur Raststätte, kein Espresso aus dem Automaten. Die Straßen sind leer. Neonschilder werfen schimmernde Schatten in Rot, Blau und Gelb auf die Straße. Autos stehen am Straßenrand. Aber irgendetwas ist heute anders.

06:35. Inspektion. Kurze Besprechung mit Jean-Luc. Er ist zufrieden, er bestätigt den Kontakt zu Frank.

Steige auf mein Schwind-Fahrrad, fahre in den Ostring, den Kopf frei, befreit. Ampeln blinken immer noch sinnlos vor sich hin. Aber ich erkenne erstmals ein paar Vögel, die auf Bäumen sitzen, die aus einer Verkehrsinsel wachsen, gerahmt von Betonblöcken. Ein liebliches Summen liegt in der Luft über dem Asphalt. Es kommt von den

Stromleitungen oder Straßenlaternen. Es könnten auch verwirrte Bienen sein oder eine Invasion von Mücken. Ich lache in mich hinein. Bald gibt es eh eine Invasion wilder Tiere aus dem Süden. *Where the Wild Things Are*. Das Lieblingskinderbuch von Frank.

06:59. Dann sitze ich endlich wieder auf seiner Matratze. Vince öffnet die Augen.

Hi Dad.

Hi Vince.

Gerade habe ich von Mama geträumt, sagt Vince. Und von Haien.

Ich gehe näher an sein Gesicht, rieche seinen Atem, schmiege mich an seinen Körper. Die Vorhänge sind zugezogen. Es ist stockdunkel in seinem Zimmer, wir spüren einander, wir liegen nebeneinander, seine Fingerspitzen berühren mich, wir haben die Beine ineinander verschränkt, wir können einander nicht erkennen. Lege meine Hand auf seine Stirn.

Weißt du, dass es an der kalifornischen Küste mal eine Zeit gab, in der sich die Haie immer näher an den Strand spülen ließen? Viele strandeten in Venice Beach. Und keiner konnte verstehen, was los war. Mama sprach oft von den Haien.

Hat sie auch einen gesehen?

Nein.

Machst du mir Spiegeleier, *over easy*, bitte? Keine *Reeve's Puffs*. Heute nicht.

Klar.

Vince umarmt mich.

Bald kommt Frank!

Vince muss zur Schule. Zum Abschied küsst er mich auf die Lippen. Er hält mich fest.

Weißt du, Vince, wenn du so cool bleibst, wie in dem letzten halben Jahr hier in Bern, dann schaffst du alles im Leben, und zwar mit links.

Vince verlässt die Wohnung.

Springe unter die Dusche.

Verdunkle mein Schlafzimmer.

Lege mich ins Bett und betrachte die Ozeanwellen auf der Seigaiha-Tapete.

Schlafe ein, träume, erwache schweißgebadet. Nachricht von Jean-Luc. Endlich Klarheit: Frank wird in drei Tagen in Zürich ankommen. In drei Tagen!

Schlafe wieder ein, wache auf. Unruhe. Ich versuche, mich abzulenken und denke an Ninas Liebe. Und wie ich sie zurückliebe. Das Glück und die Euphorie. Die heitere Melancholie. Die Ablehnung. Ich denke an Ninas Fähigkeit zu träumen und Träume zu verstehen. Endlos konnte sie beim Frühstück über ihre Träume quasseln.

Ich schlafe ein, wache auf. Unruhe. Ich versuche, an etwas anderes zu denken, an Berner Rösti mit Bratwurst! Wie damals an jenem grauen Sonntagabend im Winter 1980.

Ich sitze mit meiner Mutter vor einem Teller Berner Rösti mit Bratwurst, und sie fragt mich, was ich eigentlich werde wolle. Die Frage ist verständlich, kurz vor »meinem Abschied für immer«. Meiner Mutter war es immer wichtig, mir moralische Werte zu vermitteln. Besonders, nachdem Vater gestorben war. Immerhin hatte sie mit mir schon über den staatlichen Gesundheitsdienst geredet, über die Schweizer Altersversorgung und darüber, warum der deutsche Bundeskanzler Helmut Schmidt wichtig für Europa und die Schweiz sei. Wir haben natürlich auch über die obdachlosen Heroinabhängigen in der Schweiz gesprochen, und darüber, wieso ich mich in der

Nacht dazu hatte hinreißen lassen, vor das Bundeshaus zu marschieren und Steine auf Polizisten zu werfen.

An jenem Abend schaute mich meine Mutter an, und sie weinte. Ich spürte ein letztes Mal, dass sie im Grunde immer dachte, aus mir würde nichts werden und alle Mühe sei umsonst gewesen. Ich stand vor ihr, in Kampfstiefeln, Armeehose und einem schwarzen T-Shirt mit einer japanischen Comicfigur, die auf meine Mutter herablachte. Ich schulterte meinen Armeerucksack und trank den letzten Schluck Hagebuttentee, den sie für ihren Sohn zubereitet hatte. Drei Stunden später wollte ich bei Weil am Rhein die Grenze überqueren und dann sehr viel weiter nördlich Deutschland erobern.

Wache wieder schweißgebadet auf. Alles wird gut. Frank kommt, und Vince wird mich retten. Er kann loslassen. Er hat eine Verbindung zu Nina, die ihn in die Zukunft trägt. Er spürt keinen Schmerz, nur Glück. Vor seinem Fenster scheint die Sonne durch die Baumwipfel. Vince springt auch im Herbst in unseren Fluss, er kann schwimmen, sich auf dem Rücken treiben lassen, während er den Wolken am Himmel zusieht und der Wind ihn treibt, wohin er will.

Ich muss blinzeln. Verdammtes Tageslicht.

Relax, sage ich mir. Es geht jetzt nur noch darum, die Zeit totzuschlagen. Bis ich Frank in den Armen halte. Bis ich Nina endlich ihren älteren Sohn präsentieren kann.

Gegen halb zwei schalte ich die Nachttischlampe an. Schon gestern ist mir ein kleiner Riss in der Tapete aufgefallen. Jetzt einfach die Wellenbewegung studieren. Im Schein der Nachttischlampe versuchen, den Mustern zu folgen und mir dabei den Planeten in einer nicht sehr fernen Zukunft vorzustellen.

Starre auf die Wellen, die Wellen, die Wellen. Und erkenne plötzlich deutlich das Muster eines wellenförmigen Firmaments. Die Schweizer Alpen sind in *Vanta-Black* getaucht, das schwärzeste Schwarz überhaupt, die Voralpen beigegrau und das Schweizer Mittelland unter Wasser, Teil eines europäischen Ozeans.

Vince kommt aus der Schule. Ich stehe in Trainingshosen vor ihm.

Dad, du siehst echt müde aus. Was ist los mit dir?

Ich freue mich. Dein Bruder kommt.

Lass uns rausfahren, bitte, Dad. Du hast es mir versprochen. Heute ist der perfekte Tag dafür. Lass uns Basketball spielen. Ignorier doch einfach das Licht. Lass uns die Hoodies tragen, du kannst ja deine blöde Sonnenbrille noch auf die Nase setzen. Niemand wird dich erkennen, Dad. Das ist es doch, was dich beschäftigt, oder? Ich weiß, dass es das ist, Dad. Ich weiß alles.

Okay, Vince.

Wir fahren mit unseren Fahrrädern los, einfach loslassen. Luft schnappen. Freihändig fahren.

Ist doch gar nicht so schlimm, oder Dad?

Vince lacht mich an. Der Berner Alltag am späten Nachmittag flimmert. Trambahnen und Busse scheinen sich vor mir in Fragmente aufzulösen, Paare und Passanten zerfallen in Stücke und Sequenzen wie bei einem uralten Flimmerkistenfilm. Eine Welt entsteht, die mir noch aus Franks Lego-Phase bekannt ist. Legostadt Bern. Die Berner Alpen in der Ferne bilden einen gezackten Saum aus Legosteinen.

Wir erreichen einen Schulhof mit Basketballkörben. Sofort runter vom Rad, Hände abklatschen, Sonnenbrille richten.

Los Dad, versuch einen Drei-Punkte-Wurf!

Vince passt mir den Ball zu.

Ich werfe.

SWISH!

All net, Dad. Du bist unfassbar gut, Dad.

Ein Korbleger, ohne den Ring zu berühren. Vince umarmt mich.

Wir lachen. Was für ein Glück.

Wir werfen weiter.

Drei-Punkt-Würfe. Immer wieder.

Ich bewege mich im Tageslicht völlig neu, zielgerichtet, und trotzdem kommt es mir vor, als ob ich am Abgrund meines eigenen Schattens taumele, während ich den Ball Richtung Korb werfe.

Vince füttert mich immer wieder mit dem Ball.

Ich werfe.

Mist.

Noch mal Dad, du kannst das!

SWISH!

Das Basketballfeld von Bern-Ostring kommt mir jetzt wie eine Narbe in der Landschaft vor.

Zum Glück ist Vince bei mir.

Noch ein Dreier, Dad!

Wie soll ich meinen Söhnen erklären, warum ich das Licht nicht aushalte, und dass sich Mama ständig an mich klammert?

Dad, was ist los? Wirf den Ball!

Ich stehe plötzlich hilflos auf dem Basketballfeld, während mich mein Sohn anbrüllt, ich solle den Ball endlich werfen.

SWISH!

Ich könnte Ihnen erklären, dass es eine Sehnsucht nach Dunkelheit, nach nächtlichem Himmel ist. Das würden sie verstehen. Sie würden einen Moment betreten gucken und sich dann krummlachen, und dann würden sie brüllen: Wirf den Ball, Dad! Was ist los mit dir?

18:12. Nachricht aus der Zentrale: *Nimm dir drei Tage frei, Tom. Hol dir morgen den 600er ab. Das wird Frank freuen. Mach dir ein paar schöne Tage. Swiss Arrival in Zürich-Kloten: Freitag 15:30 Uhr.*

Ich schließe für einen Moment die Augen. Höre meine Stimme. Die Stimme des frischgebackenen Vaters. Was waren meine ersten Worte an Frank? Duuu!

Spüre den Schweiß auf meiner Haut. Wieso ziehe ich mein T-Shirt nicht einfach aus? Es klebt an meinem Oberkörper, und es ist mir völlig egal. Duuu! So habe ich Baby Frank in den ersten Wochen meine Liebe ins Ohr gesummt. Immer wieder. Was für ein Glück.

Vince, lass uns nach Hause fahren. Es war wunderschön.

Noch ein bisschen länger, Dad. Bitte! Noch ein paar Würfe. Du spielst fantastisch! Ich bin Stephen Curry, du bist Kobe Bryant.

Heute Nacht bleibe ich bei dir, Vince.

Zu Hause schauen wir die *Simpsons*. Streichle seinen nackten Rücken. Wir essen kalten, gehackten Kabeljau mit Limettensaft, Salz und Koriander.

Dad, das ist der letzte Fisch, den ich esse. Ich werde Vegetarier.

Echt?

Erinnert mich zu sehr an Mama. Sie hat Ceviche geliebt. Ich glaube, ich muss mich von Fischen lösen.

Wieso?

Muss mal was ändern, was Neues machen.

Wir legen uns ins Bett. Liegen nebeneinander. Vince murmelt etwas, einen Fetzen Traummonolog, er wälzt sich hin und her. Als ich seine

Decke anhebe, hüllt uns der warme, vertraute Duft von Nina ein, ihr wunderschöner, nackter, schlummernder Körper. Ich berühre sein Ohr, schiebe meinen Arm unter seinen Körper. Versuche, an nichts zu denken. Einfach die Zimmerdecke anstarren und ihren Duft einatmen.

17

Es ist das Jahr 1998. Baby Frank liegt in seinem neuen Babybettchen, gut aufgehoben, das kann ich garantieren.

Ich hatte das Gestell bei einem jüdischen Händler am Pico Boulevard gekauft. Frank ist sechs Monate alt. Der Sprossenabstand ist nicht mehr als sechs bis sieben Zentimeter. Darauf legte ich Wert. Wir wollen ja nicht, dass du dein Köpfchen zwischen die Gitterstäbe steckst, Duuu! Ich kitzele seine Füßchen. Ich wedle mit einer frischen Windel um sein Köpfchen. Der Kleine hat es geschafft, sich an den Stäben hochzuziehen. Jetzt rüttelt er wie ein kleines Tier an seinem Käfig und weint. Ich taste seinen Hinterkopf ab. Wie weich das dort immer noch ist. Wie heißt das Ding noch, diese besondere Stelle am Hinterkopf? Es gibt eine Bezeichnung dafür. Schon wieder vergessen. Fühlt sich an wie ein direkter Zugang zum Hirn. Was für ein Wahnsinn! Ob man da reindrücken kann? Die Kraft der Menschheit im Babyschädel? Und das ist der Zugang?

Ich muss lachen und wache auf, ziehe die Decke über Vincents nackten Körper, gehe in die Küche zum Kühlschrank und hole mir ein Bier. Appenzeller Quöllfrisch. Zeit totschlagen. Noch vierzig Stunden bis Frank bei uns ist.

Ich liege im Bett. Schlafe, träume, wache schweißgebadet auf und schlafe wieder ein.

Duuu!

Frank liegt auf dem Rücken, spielt mit seinen Händchen und Beinchen und Füßchen. Duuu! Spielen bedeutet Freiheit. Gibt es etwas Wichtigeres im Leben eines Kindes? Spielen und sich mit dem eigenen Körper unterhalten. Manchmal dem Vater oder der Mutter zuschauen, ihre Körper spüren, warme Worte hören, weiterspielen.

Mein Vater Hans Kummer war ein echter Spieler, Dean-Martin-Style. Er erklärte mir, dass es traurige Spiele gäbe, bei denen man leidet und stöhnt, weil man von ihnen besessen ist. Und es gäbe das kindliche Spielen. Wunderschön unschuldig.

Aber wieso nennt man beides Spielen, Papa? Das Spielen am Pokertisch, an dem du unser Geld verspielst, und das Spielen im Kinderbettchen?

Fand ich eine wichtige Frage, auf die mir auch mein Vater keine einleuchtende Antwort geben konnte.

Wir Menschen spielen halt gerne und riskieren auch mal alles, sagte er.

Noch neununddreißig Stunden. Dann sind wir wieder eine Familie.

Schalte die Nachttischlampe ein. Ziehe die Decke über den Kopf. Nur schweben bitte. Nur Ruhe.

Baby Frank schreit schon über eine Stunde. Das Schreien hört nicht auf. Ich halte es kaum noch aus. Nina ist draußen an unserem Community-Pool und entspannt sich in der Sonne. Manchmal steht sie dort völlig verloren, beobachtet Kakerlaken am Boden und zerdrückt sie mit ihren nackten Füßen. Oder sie gießt die Blumen und pflückt Heilkräuter, die sie gepflanzt hat. Ich kann Nina vom Fenster aus beobachten.

Ich pfeife ihr zu. Nina schaut hoch. Ich halte Frank aus dem Fenster, und tue so, aus Spaß oder Vaterglück, als ob ich ihn gleich runterwerfen würde. Michael Jackson hat das später auch mal gemacht. Ich lache, finde es lustig. Frank hört auf zu schreien. Meine Methode. Er fängt sogar an zu kichern, als ich ihn durch die Luft schwinge, in luftiger Höhe.

Meine Methode, Baby! Daddy weiß, wie man mit einem Baby umgeht, Dududududududuuuu! Und ich drücke meine Nase in seinen Bauchnabel.

Nina schreckt aus ihrer Liege neben dem Pool hoch, fuchtelt mit den Armen, zeigt mir den Vogel. Dann setzt sie ihre Sonnenbrille auf, legt sich wieder hin und liest weiter.

Ich war einfach nur glücklich. O Lord! Die Welt war wirklich schön und friedlich, man musste nur umherschlendern und sich die Dinge genau anschauen, viel lachen und langsam reden und denken und immer schön entspannen, um nichts von dieser wunderbaren Welt zu versäumen.

Ich nehme noch einen Schluck Appenzeller Quöllfrisch. Will träumen.

Frank ist ein paar Monate alt. Ich habe begonnen, Golf zu spielen. Und den *Los Feliz Golf Course* schon mit einem Schlag über Par gespielt. Ich konnte auch mit meinen siebenunddreißig Jahren immer noch neue Dinge lernen. Auch das Vatersein. Alles im Leben ist erlernbar. Ich versuchte mich außerdem gerade im Fischen mit einer Wurfschnur. Ich habe einen Typen namens Jean-Luc kennengelernt, der mir Zugang zu einem exklusiven Klub verschafft hat, in dem sich Männer aus therapeutischen Gründen blutig prügeln. Ich verbrachte viel Zeit in öffentlichen Parks, im *Kenneth Hahn Park* in Baldwin Hills zum Beispiel, wo auch die Kinder von Denzel Washington Fußball spielten. Ich hatte schon eine Fußballmannschaft für Frank gesichtet und im künstlichen See des *Inglewood Park* nach Barschen gefischt. Das Leben musste nicht einfach zur Hölle verkommen, bloß weil da so ein kleiner Scheißer in unsere kaputte Welt eingeflogen war.

Ich gebe meinem Babysohn jetzt einen Klaps auf den nackten Hintern. Sehr bald würde ich mit Nina wieder »Forschungsreisen« unternehmen können. Wir würden uns ein salvadorianisches Kindermädchen leisten. Vielleicht nach Mexiko City fliegen. Nichts würde uns aufhalten. Wir waren das perfekte Eltern-Team. Seit fünfzehn Jahren hielten wir zusammen. Daran konnte auch dieser blondhaarige Engel nichts ändern. So leicht lassen wir uns nicht von dir tyrannisieren!

Ich lege Frank zurück in sein Bettchen. Dann wasche ich ihm mit einer frischen Windel das Gesicht. Dududududuuu! Singe ich immer und immer wieder gut gelaunt. Frank kräht jetzt schon eine Weile wie am Spieß. Vielleicht ist ihm kalt. Vielleicht sollte ich ihm den Strampler anziehen. Aber ich habe gerade keine Lust.

Ich drücke die Windel auf seinen Mund, um das Schreien zu dämpfen. Die kalifornische Sonne strahlt wunderbar golden in unser Schlafzimmer, alles leuchtet. Auch die Sternchen, die sich am Babybettkarussell drehen. Nina hat sie selbst gebastelt, ganz in der Tradition des Künstlers Alexander Calder, den sie bewundert. Dududududuuu! Was Nina nicht alles für Talente hervorzauberte, seit sie Mutter war. Deine Mutter ist soooowas von gut, lieber Frank. Dududududuuu! Ich drücke ihm nochmals die Windel auf den Mund. Nur mit dem verdammten Schreien musst du einfach aufhören!

01:31. Aufgeschreckt. Verdammt. Ich nehme einen letzten Schluck Appenzeller Quöllfrisch.

Nina steht plötzlich hinter mir, wickelt ihr Badetuch um meinen Hals und reißt mich damit zu Boden. Sie ist wütend und will mich erwürgen. Bestimmt will sie mich jetzt erwürgen!

Bist du wahnsinnig?, schreit Nina.

Sie steht im Bikini über mir und zerrt noch immer mit dem Badetuch an meiner Kehle.

So behandelst du nicht meinen Sohn! Würde dir das gefallen? Einfach so aus dem Fenster hängen lassen. Und dann noch eine Windel ins Gesicht knallen?

Ihr Tonfall ärgert mich.

War doch bloß ein Test, Baby. Ein bisschen Spaß.

Ich kann mich aus ihrem Würgegriff befreien und torkle zum Bett. Ich mag es, wenn Nina aggressiv wird. Vielleicht kann ich noch einen schönen altmodischen Ehestreit vom Zaun brechen. Dafür sind wir wirklich wie geschaffen.

Was für ein schwachsinniger Test soll das denn gewesen sein?

Wollte bloß mal seinen Charakter testen. Der ist jedenfalls nicht so empfindlich wie du!

Ach echt? Bist du besoffen?

Sie küsst Frank auf den Bauch. Sie streichelt seine Stirn. Sie küsst ihn noch zweimal auf den Bauch. Frank strampelt jetzt mit seinen Beinchen. Er hat aufgehört zu schreien und scheint gut drauf zu sein, seit Mama mit seinem Penis rumspielt.

Ich stehe auf und lege meinen Arm reumütig um Ninas Schulter. Sie schüttelt ihn ab.

Ich lege den Arm wieder zurück auf ihre Schulter und meinen Mund an ihr Ohr. Ich entschuldige mich. Nina ignoriert es. Es wird ganz still bei den Kummers. Wir betrachten jetzt unseren Sohn dabei, wie er seine Eltern anstarrt. Dududududuuu!

Schau, da sind Mama und Daddy! Deine Eltern.

Frank starrt mich an. Er starrt mich ungläubig an. Ich fange an zu weinen. Mir wird fast schlecht. Wieso starrt mein Sohn mich so an? Immerhin kann er jetzt sehen, wie ich seine Mutter umarme. Ich drückte meinen Kopf an Ninas Stirn. Ganz vertraut.

Schau, Nina, er kann das jetzt sehen, wie wir uns wieder gut verstehen. Was soll's. Wir haben uns diesen Eltern-Blödsinn gemeinsam eingebrockt. Es gibt kein Entkommen.

Ich erwache. Stehe auf, gehe zum Fenster, schiebe den Vorhang vorsichtig zur Seite. Als ob ich meine Augen testen müsste. Beobachte Kondensstreifen am Nachthimmel über Bern. Vollmond! Soll ich Vince wecken? Dann können wir darüber diskutieren, wer den Mond bewohnt. Das könnte ein schöner Moment sein. Vielleicht brauche ich das. Ist nämlich strittig, wer den Mond bewohnt. Vielleicht ein Mann? Sein Gesicht ist heute Nacht mal wieder gut zu sehen. Japaner und Chinesen sehen einen Mondhasen, eine Passagierin aus Kenia erzählte mir von Krokodilen. Von Südafrika aus betrachtet erscheint eine Frau auf dem Mond, die Brennholz schleppt. Überall in der Schweiz, heißt es, mache der Mond die Menschen verrückt und auch die Schweizer Tiere, die in Vollmondnächten angeblich häufiger beißen. Auch würden bei Vollmond mehr Kinder zur Welt kommen, aber die Operationen von Doktor Azikiwe gingen häufiger schief. Halte die Hand vor den Mund, um Vince nicht mit meinem Lachen zu wecken.

Bald wird Frank in Zürich-Kloten landen.

Unser Eltern-Dasein nimmt immer traumhaftere Züge an. Wie alt sind wir? Sechsunddreißig und neununddreißig? Irgendwann sind die Kinder vier und zehn. Die Nächte verbringen wir plötzlich berührungslos. Wir bleiben im Dunkeln häufiger wach. Wir rätseln bis zum Morgengrauen. Über unsere Zukunft. Die Zukunft der Welt. Wir haben Kinder mit lockigem, blondem Haar in die Welt gesetzt. Sie essen pünktlich, schlafen genug, spielen ohne Regeln, erfahren Liebe, soweit ich das beurteilen kann, fühlen sich ernst genommen, fällen selbstständig Entscheidungen. Frank entdeckt Bücher von J. R. R. Tolkien, Vince Lieblingssendung heißt jetzt *Tom und das Erdbeermarmeladenbrot mit Honig*, es ist eine DVD, die ich im Goethe-Institut am Wilshire Boulevard ausleihen muss.

Manchmal kuschle ich mich in solchen Nächten an Ninas Brust und lege den freien Arm um meinen Sohn.

Zerbrichst du dir wieder den Kopf, Tom?

Nein.

Denkst du wieder daran, dass die Welt eh bald am Arsch ist?

Ich denke an nichts.

Du kannst die Welt nicht einfach aus deinem Leben ausschließen.

Ich schließe nichts aus.

02:34. Schrecke hoch. Geräusche. Gerade habe ich noch vom Grund eines Sees gegen die Wasseroberfläche gestarrt, mitten in einer Sauerstoffblase. Ich trieb mit Nina unter einen Wasserfall, die Blase platzte. Die Geräusche kommen aus einem Badezimmer im siebten Stock. Es ist Fallwasser. Ich schließe meine Augen, lausche dem Brausen der Abwasserrohre.

Irgendwann kommt der 22. September 2014. Ein überbelichteter Tag. Alles wird still in unserer Wohnung. Ich liege neben Nina, ich drücke meinen Finger sanft auf ihre Stirn und drehe Kreise. Ich habe seit Tagen nichts mehr von ihr gehört. Die letzten Worte, die sie gesagt hat, sind die:

Frank, wo gehst du hin?

Vincent, wann kommst du wieder zurück?

Ein paar Stunden später nehme ich Frank in die Arme. Wir stellen uns ans Sterbebett. Er hält noch immer einen Becher von *Jamba Juice* in der Hand. Er legt seinen Kopf auf meine Schulter.

Bald ist sie tot, sage ich.

Frank schaut mich an.

Niemals, sagt er.

Wenn ich richtig gerechnet habe, sind es jetzt 10 950 Tage, die ich mit Nina verbracht habe.

Noch zwei Stunden bis Vince erwacht. Vorsichtig schiebe ich den Vorhang in meinem Schlafzimmer zur Seite. Immer wieder die gleichen Lichter über Bern. Der Mond ist längst untergegangen.

Gehe ins Badezimmer, starre in mein Gesicht. Zeit war mal eine wichtige, greifbare Größe in meinem Leben gewesen. Jetzt soll sie einfach nur verstreichen.

Wie oft standen Nina und ich morgens gemeinsam im Badezimmer. Vor dem Waschbecken. Nina schminkt ihr Gesicht, ich putze meine Zähne, unsere Blicke treffen sich im Medizinschrankspiegel. Manchmal hat mir Nina den Streit noch nicht verziehen, der sich am Vorabend abgespielt hat. Sie streicht Creme auf ihre Wunden. Sie ist stur. Sie zeigt dann nur Kälte. Kein Lächeln. Keine Geste. Nina ist wie Eis, weil sie nicht verzeihen will. Weil sie daraus ein verdammtes Drama machen muss, um sich womöglich stark zu fühlen. Um mir immer wieder ihre Härte zu beweisen. Und dann sage ich ihr, dass ich mich nie daran gewöhnen werde.

An was?

Kalte, dumme Menschen. Sie begreifen nie die Schönheit und den Wert einer versöhnenden Geste. Versöhnung ist das Wichtigste im Leben.

Nina läuft dann aus dem Badezimmer, wirft die Tür hinter sich zu.

Nina, du hast Eis in der Seele!, brülle ich ihr viel zu laut nach. Wie ein Idiot, der weiß, dass er Unsinn redet.

Du auch, Tom! Wir haben alle Eis in der Seele.

Aber bei dir offenbart sich das Eis mit jedem Wort, das du sagst, mit jedem Blick. Du begreifst nicht den Wert einer versöhnlichen Geste.

Ich bin ehrlicher als du, Tom.

Du bist wie alle anderen, Nina. Du stellst Wahrheit vor Kunst.

Du kotzt mich an, Tom!

Zu viel Wahrheit ist schlimmer als der Tod, und dauerhafter!

Irgendwo schlägt eine Tür zu. Nina ist abgehauen.

Später fährt sie die Kinder in die Schule.

Wenn ich richtig gerechnet habe, dann sind es doch 10951 Tage, die ich mit Nina verbracht habe.

18

Meine Träume wiederholen sich. Variationen von Träumen mit Nina im Mittelpunkt. Mit den Jungs als Beobachter. Ich drehe mich im Kreis. In L. A. kommen irgendwann zwei Cops der LAPD und verhören mich. Irgendwann steht eine Sozialarbeiterin vor unserer Wohnung und bietet uns Hilfe an. Ich erkläre ihnen, dass wir ein anständiges Leben führen. Dass Sie wegen der Rauferei keine vorschnellen Schlüsse ziehen sollten. Unseren Kids gehe es gut. Wir führen ein Leben, in dem die Konfrontation von großer Bedeutung sei, die Auseinandersetzung, die schlechten und guten Träume, der Sex eine fortwährend wichtige nächtliche Rolle spiele. Die Cops grinsen sich an. Rufen Sie diese Nummer an, falls es wieder Probleme gibt.

Okay, Officer.

05:25. Ich liege wach, blicke auf das Wellenmuster an der Wand. Ein Meer aus Wellen mit schönen Schaumkronen. So wird die Erde enden. Als Seigaiha-Tapete. Schmore mit diesen Visionen sofort wieder im Nichts, nicht nur im eigenen Nichts, sondern in einem Nichts der Trauer, in der Gesellschaft von Nina, den anderen Menschen, meiner alten Heimat, der Welt. So fühlt es sich an. Es ist wie ein Dahinfaulen. Verdammtes Tageslicht. Ich kann mich in meinem eigenen Schlafzimmer nicht mehr bewegen, mache keine Liegestützen wie früher in Kalifornien, onaniere nicht, habe keine erotischen Fantasien mehr. Was ist los?

Eine Stunde und zwanzig Minuten sind im Schlaf vergangen. Lese die Nachricht von Hannah Eisenberg, der Autorin vom *New Yorker*. Sie möchte mich noch einmal treffen. Sei dringend! Wegen Doktor Azikiwe! Schlafe wieder ein.

06:45.

Daddy! Daddy! Du hast den Wecker nicht gestellt!

Vince steht in meinem Schlafzimmer.

Geh schnell duschen, sage ich.

Ich bereite dir Spiegeleier vor, okay?

Oh, ja!

Wir hören Nachrichten auf *National Public Radio*: Terrorbombe in Chelsea, New York. 29 Schwerverletzte. Mark Zuckerberg spendet 3 Milliarden Dollar für die Krebsforschung. Mutter Teresa wurde heiliggesprochen.

Nach dem Frühstück wühlt Vince in meinem Kleiderschrank. Er durchsucht Ninas T-Shirt-Sammlung und wählt jenes mit dem Bild von John Lennon und Yoko Ono.

Bist du bereit, Vince?

Kannst du mich zur Schule spazieren? Du hast das noch nie getan.

Echt, noch nie?

Ja, noch nie.

Er schaut mich an. Wann habe ich mich das letzte Mal in der Morgendämmerung sicher gefühlt? Vince hat es geschafft. Er gibt mir Sicherheit.

Lass uns schnell noch auf den Balkon gehen, mal schauen, wer uns heute beobachtet.

Wir lachen. Im Hundepark steht unser Nachbar aus der 48 mit seiner schwarzen Dogge. Wir blicken Richtung Alpen. Vince hält meine Hand.

Bitte begleite mich. Das tut dir gut, Dad.

Ich schaue auf meinen Sohn, mittlerweile einen Meter fünfundfünfzig groß. Noch fehlen ihm fünfundzwanzig Zentimeter, bis er meine Größe hat. Aber längst weist er mir den Weg in die Zukunft.

Ich begleite dich.

Ein Nachbar aus der 54 beobachtet uns. Wir laufen Hand in Hand. Das Morgenlicht auf der Straße ist schlimmer, als ich gedacht habe. Überall Zeichen! Wie eine Traumlandschaft, deren Deutung immer Schreckliches aufdeckt. Ich mag keine Traumdeutungen mehr.

An was denkst du, Dad?

An die Träume von letzter Nacht.

Ich habe von den Drei-Punktern geträumt, die du gegen mich versenkt hast. Das war großartig!

Danke, Vince. Vielleicht werde ich heute noch ein paar Übungswürfe machen.

Allein?

Ja, ganz allein. Damit ich besser werde als du.

Vince lacht.

Was hast du geträumt, Dad?

Ich habe im *Inglewood Park* nach Barschen gefischt.

Cool. Weißt du, ich deute meine Träume nur noch positiv. Kürzlich hatte ich einen, von dem ich dachte, der bedeutet was ganz Schlimmes. Aber wenn man nach guten Zeichen sucht, dann können einen Träume nicht mehr erschrecken.

Das ist eine gute Idee, Vince. Keine Angst vor Träumen.

Vor dem Schulgebäude gebe ich Vince einen Kuss zum Abschied, er umarmt mich, ich schließe die Augen, alles dreht sich. Dann klatscht er meine Hand ab. Ich schaue ihm versunken nach, bis er hinter einer Mauer verschwindet.

Auf dem Rückweg wähle ich einen anderen Weg, verlaufe mich. Wieso kann sich einer in Bern verlaufen? iPhone zu Hause gelassen, verdammt, in einer Kleinstadt verlaufen, ist beschämend. Fühlt sich jetzt an, als ob ich gerade aus einem Koma erwacht wäre. Habe keine Erinnerungen mehr. Muss ein Jahr im Koma gewesen sein, seit Nina tot vor mir lag und ich den Verstand verlor. Jetzt bin ich erwacht und verlaufe mich in meiner eigenen Nachbarschaft.

Wie lange bin ich schon unterwegs? Wieso nicht einfach einen Passanten nach dem Weg zur Kasthoferstraße fragen?

Finde einen Baum, der mir bekannt vorkommt. Eine einsame Platane. Mein Lieblingsbaum. Kenne mich wieder aus.

Endlich. Zurück im eigenen Bett. Der beste Ort, um zu vergessen. Der Vorhang ist zugezogen, alles verdunkelt. Sofort senkt sich die Zeit herab wie der Deckel eines Sarges, der sich ganz langsam schließt. In der Dunkelheit gäbe es kein Recht, hat mir ein Passagier aus Sierra Leone mal erzählt. Richter in Freetown fällen nach Sonnenuntergang keine Urteile. In der Nacht geschlossene Verträge werden ungültig oder können angezweifelt werden. Vor Gericht werden nächtliche Gesetzesverstöße schwerer bestraft – nur eine Tat wird in Sierra Leone milder beurteilt: das Erschlagen eines Eindringlings bei Nacht.

09:45. Höre ein Klopfen an der Wohnungstür. Schaue durch den Spion. Eine junge Frau steht vor der Tür, sie trägt ein T-Shirt mit der Aufschrift XR.

Ich öffne die Tür.

Tom?

Ja.

Malick schickt mich. Er ist mit Jean-Luc befreundet. Ich soll dich grüßen. Kann ich reinkommen? Sie läuft einfach an mir vorbei, sie humpelt leicht, sie schaut sich um, lächelt, setzt sich auf die schwarze Ledercouch im Wohnzimmer, spielt mit ihren Zöpfen, tätowierte Arme mit indianischen Mustern, Zahlen, Barcodes. Sie schaut sich um. Dann zieht sie ihre Stiefel aus.

Ich starre den Eindringling an, als ob er ein Alien wäre, kein Mensch, vielleicht ein Engel.

Dieser Engel ist beinahe noch Teenager, spricht Berner Oberländischer Dialekt, zieht jetzt seinen kurzen Rock aus, trägt darunter enge Gymshorts. Sie betastet ihre muskulösen Oberschenkel, als ob sie dort Schmerzen von Schlägen oder zu vielen Trainingseinheiten hätte.

Darf ich mich setzen?

Klar.

Sie lässt sich auf die schwarze Ledercouch fallen, streckt dazu ihre Arme aus und erstarrt in einer Art Happy-Pose, wie ein Fotomodel. Sie wirft ihren Kopf in den Nacken, blickt dramatisch gegen die Decke, verdreht die Augen, sie macht kreisende Bewegungen mit ihrem Kopf, befühlt ihr Gesicht, streichelt über rote und blaue Flecken. Alles sehr dramatisch. Erst dann blickt sie zu mir, lächelt mich an, als ob sie sich gerade über ihr eigenes Schauspiel amüsieren würde. Ein Mountaingirl? Was will sie von mir? Noch nie ist hier auf dieser Couch eine Frau gesessen. Noch nicht mal meine Mutter. Vielleicht ist die junge Frau ein Naturkind aus einem abgelegenen Seitental, reinste Lebensfreude mit betörendem Lächeln, gesunde, strahlende Zähne.

Jean-Luc hat dich doch informiert, oder? Du sollst ein paar Tage entspannen. Hat dir Bescheid gesagt, oder?

Nichts hat er gesagt.

Ich betrachte ihr Lächeln, starke Schultern, feine lange Finger, eher ungewöhnlich für ein Wesen mit dem Dialekt und diesem kräftigen Kiefer.

Und was genau hast du hier jetzt vor?

Ich soll mich zu dir legen. War doch abgesprochen, oder?

Sie lacht mich an.

Echt? Wer sagt das?

Malick.

Malick? Ist das dein Boss?

Nein, mein Freund aus Ghana. Ein Freund von Jean-Luc. Fährt Limousine, wie du.

Okay, wenn das stimmt, was du sagst, dann leg dich hin. Aber versuch bitte nicht, mich anzumachen. Dann werfe ich dich raus. Magst du grünen Tee?

Sie hält die Hand vor den Mund, um nicht laut herauszulachen.

Ich mache niemanden an. Ich bin viel zu scheu. Ehrlich.

Dort drüben ist mein Schlafzimmer. Wie heißt du eigentlich?

Dominique. Aber alle nennen mich Nicky.

Und da ist das Bad. Ich gehe jetzt kurz dort hinein, danach hast du es für dich, okay?

Okay.

Nicky geht jetzt in mein Schlafzimmer. Im Badezimmer versuche ich, die Zentrale zu kontaktieren. Ich lasse die Tür einen Spaltbreit offen, so, dass ich höre, was dieses Mädchen treibt. Jean-Luc geht nicht ran. Sende eine Nachricht an die Zentrale.

Was soll das, Jean-Luc? Wer ist dieses Mädchen? Sie nennt sich Nicky. Sie ist in meinem Schlafzimmer. Von Malick weitergegeben. Angeblich.

Zwei Minuten später. Jean-Luc antwortet: *Lass es dir gut gehen!*

Ich gehe ins Schlafzimmer. Sie liegt auf meinem Bett, ihr T-Shirt auf meinem Stuhl. Ich lege mich zu Nicky. Was soll ich mich mit ihr herumschlagen. Wegschicken mag ich sie auch nicht. Vielleicht das Gefühl testen, neben einem Mädchen zu liegen.

Ich schließe die Augen. Wir liegen jetzt einfach so nebeneinander.

Ziemlich dunkel bei dir im Schlafzimmer. Schläfst du immer tagsüber?

Ja.

Kann ich die Kerze auf deinem Nachttisch anzünden. Ich mag Kerzenlicht.

Mach, was du willst.

Erst jetzt sehe ich die Piercings. Das Mädchen hat dicke, lange Brustwarzen, durchbohrt von einem Metallstück. Sie trägt einen roten Slip, asiatische Schriftzeichen sind auf Hüfthöhe eintätowiert, ein weiteres Piercing ziert ihren Bauchnabel.

Sie nimmt jetzt meinen rechten Arm und legt meine Hand auf ihre Brust.

Ich mag es, wenn du einfach deine Hand so auf mich legst.

Echt?

Ja. Das hier hat nichts mit Sex zu tun, ehrlich. Ich will dir wirklich nur ein bisschen Erleichterung verschaffen.

In ihren Augen tanzen kleine Lichter. Kommt von der Kerze. Und selbst ihre blau lackierten Fingernägel scheinen jetzt zu leuchten. Sie liegt auf dem Rücken und studiert schon viel zu lang die Wellenmuster an der Wand.

Darf ich dich was fragen, Nicky?

Leg los.

Wieso hast du ein Piercing in deinen Brustwarzen?

Macht mich glücklich, fühlt sich gut an, gefällt Malick. Du darfst es ruhig berühren, aber nur ganz fein. Das mag ich.

Und was bedeutet XR auf deinem T-Shirt?

Rebellion gegen das Aussterben. Exit Rebellion.

Bist du Aktivistin?

Nein, nicht wirklich. Aber mein Freund ist Aktivist.

Malick?

Ja.

Was stirbt denn gerade aus in der Welt?

Alles.

Sie lacht.

Und was tut Malick dagegen?

Weiß nicht. Manchmal erzählt er, dass XR Regierungen lahmlegen könnte. Er verkauft T-Shirts mit der Aufschrift XR, wenn er gerade nicht für Jean-Luc arbeitet.

Sie hat eine große, glänzende Stirn. Dann thronen dort eine große Nase, dicke Augenbrauen wie bei einem Jungen.

Erst jetzt bemerke ich, dass ich mein T-Shirt verkehrt herum trage. Plötzlich sagt Nicky, sie möchte gerne meinen Herzschlag zählen. Ich schaue kurz über meine Schulter, weil ich ein Geräusch von der Tür höre. Aber Vince kommt erst in ein paar Stunden nach Hause. Nicky zieht mir das Shirt über den Kopf, dann legt sie ihr Ohr auf meine Brust, dort, wo sie das Herz vermutet. Stille. Sie setzt jetzt ihren Mund auf meine rechte Brustwarze und saugt sich fest.

Magst du das?, fragt Nicky.

Es geht so.

Du kannst das Gleiche bei mir machen. Ich sag dir genau, was ich mag, okay?

Okay.

Meine Augen werden wässrig, ich erkenne erst jetzt ihre aufgekratzten Arme, Schürfungen im Gesicht. Schmutz, der unter ihren Fingernägeln klebt. Sie hat die Beine und Schenkel einer Sportlerin. Sie ist schön geformt, hat schmale Hüften. Sie hat jetzt ihre schlanken langen Hände in meine offene Hand gelegt, ihre Füße sind fein geformt und die Nägel teilweise rot lackiert. Sie führt meine Hand über die Innenseite ihres Oberschenkels, ihre Haut fühlt sich an wie glattes schönes Frauenfleisch, im Kerzenlicht gelblich verfärbt. Erinnert mich an Ninas Haut, gut eine Stunde, nachdem sie gestorben war.

Muss mich ablenken. Will nicht, dass diese Sache mit Nicky zu weit geht. Noch fünf Stunden und achtundzwanzig Minuten bis Vince nach Hause kommt. Noch neunundzwanzig Stunden und achtundzwanzig Minuten bis Frank in Zürich-Kloten landet. Angeblich.

Nicky hat ein Muttermal am Nacken. Ich berühre es.

Das gefällt mir, Nicky.

Ein Muttermal?

Ja. Ich mag alles, was nicht makellos ist.

Du kennst noch nicht alles, Tom. Bin ein ziemlich primitives Wesen, ehrlich.

Sie dreht ihren Kopf näher an mich heran und kichert in meine Schulter.

Bei Malick habe ich es entdeckt.

Was?

Wie man in Afrika lebt, eins mit der Natur.

Das ist wunderbar, Nicky.

Ich schaue sie an, von der Seite, wie sie einfach so gegen die Decke starrt und ins Leere redet.

Und das ist kein Problem für Malick, dass du jetzt bei mir bist?

Überhaupt nicht. Er hat mich ja zu dir geschickt. Es ist mit Jean-Luc abgesprochen.

Schweigen.

Schön, dich kennenzulernen.

Da wäre ich mir nicht so sicher, Tom. Die meisten Schweizer Männer haben mich nicht mehr gemocht, nachdem sie mich besser kannten. Das hat bisher nur Malick geschafft.

Warum?

Weil sie nicht damit klargekommen sind, dass ich mich nach einem Afrikaner sehne.

Und das ist einfach so passiert? Deine Sehnsucht nach einem Afrikaner?

Irgendwann habe ich in einem Buch gelesen, dass wir Teil der afrikanischen Seele sind. Aber wir verleugnen es. Und genau dieses Gefühl habe ich an mir selbst gespürt.

Echt?

Ja.

Und ich habe festgestellt, dass immer, wenn ich eine Eigenschaft bei einem fremden Menschen abgelehnt habe, dies vielleicht ein Teil von mir sein könnte. Und ich habe dieses Fremde in mir einfach abgewürgt. Aus irgendwelchen blöden Gründen.

Das sind schöne Erkenntnisse. Wie alt bist du?

Dreiundzwanzig.

Ganz schön jung. Und seit wann kennst du Malick?

Erst ein paar Monate. Aber mir wurde schnell klar, wie wichtig diese Begegnung für mich wird. So was kann man bei einem Mann spüren. Genau so habe ich empfunden, als ich das erste Mal mit meinem Berner Freund nach Indien gereist bin. Das hat auch was ausgelöst.

Wie lange lebt Malick schon in der Schweiz?

Sechs Monate. Nicht sehr lange. Aber das spielt keine Rolle. Dank Malick bin ich sehr schnell an die afrikanische Lebensweise geraten, habe Schönheit, Glaube und Würde kennengelernt.

Und darum bist du jetzt bei mir?

In gewissem Sinne schon. Ich will dir helfen.

Sie kichert wieder in meine Schulter.

Und was willst du mit mir machen?

Dich erlösen.

Sie kichert einfach weiter.

Ich nehme dich für eine Weile bei mir auf, wenn du magst.

Du hast genau fünf Stunden. Dann kommt mein Sohn nach Hause.

Fünf Stunden reichen aus.

Was bekomme ich bei dir?

Nicky überlegt.

Schwierige Frage.

Während sie überlegt, spielen ihre Finger Klavier auf meiner Schulter.

Keine Ahnung. Das Ursprüngliche vielleicht. Dem trauerst du doch nach. Du lebst ja nur noch in der Nacht. Jedenfalls behauptet das Jean-Luc.

Ich weiß nicht, Nicky. Jean-Luc quasselt viel Ungereimtes.

Ich erzähl dir mal was, Tom. Da ist nichts Ungereimtes. Malick und Jean-Luc sind Männer der Dunkelheit. Malick ist noch weiser als Jean-Luc, und er kennt das Geheimnis der Nacht, als wäre sie sein wirkliches Zuhause.

Ein Zuhause?

Er hat mal gesagt, dem Afrikaner gehört die Nacht, als wäre die Schwarze Perle der Nacht die Kuppel seiner Hütte. So hat er es auf Französisch ausgedrückt, *la perle noire de la nuit le dôme de sa cabane.* Ich spreche ziemlich gut Französisch, musst du wissen.

Wer hat das gesagt?

Malick.

Dieser Malick weiß ziemlich Bescheid.

Machst du dich lustig?

Nein.

Weißt du, Malick ist supersmart. Schon nach zwei Monaten in der Schweiz hat er dieses Klimaaktivistending total kapiert. Oder hast du dich etwa noch nie gefragt, wann das Zeitalter Mensch endet? Irgendwann stieg er ins T-Shirt-Business ein für eine Organisation namens XR. Dann hat er auch mich darauf angeturnt, dass wir die Natur mit Füßen treten und so. Er erklärte mir, dass wir immer weniger menschlich werden. Dass unsere dunkle Seite im Inneren morden muss. Und wir selbst darum irgendwann ermordet werden.

So was erzählt dir Malick?

Ja. Und Jean-Luc auch.

Kann ich fast nicht glauben.

Doch. Die sind beide total psychologisch drauf. Jean-Luc ist supersmart. Und Malick auch. Sie sind in die Schweiz geflüchtet, weil sie in ihrem Land wirtschaftlich nicht mehr existieren konnten, obwohl sie gut gebildet sind. Malick hat sogar einen Uni-Abschluss in seinem Land. Ich glaube, er ist nach Europa gekommen, um uns eine Lektion zu erteilen.

Was für eine Lektion?

Malick meint, wir müssten eine bessere Beziehung zur Dunkelheit herstellen, dann kann uns nichts mehr etwas anhaben. Dann wären wir auch bereit, die Zukunft der Erde zu retten, und wir wüssten, wie wir die Trauer um die Zukunft für uns nutzen könnten.

Trauer? Was weißt du von der Trauer?

Sie hat sich jetzt auf meinen Bauch gesetzt und hält meinen Kopf mit beiden Händen. Sie beginnt, meine Schläfen zu massieren.

Dem Paradies trauerst du doch nach, Tom, oder? Deiner Erlöserin?

Was weißt du von meiner Erlöserin?

Nicht viel. Nur was mir Jean-Luc erzählt hat. Dass dir Nina beim ersten Mal gesagt hat, dass sie Sperma hasst und dir deinen Schwanz abbeißt, falls du sie zwingst, ihn in den Mund zu nehmen.

Nicky lacht jetzt laut auf und lässt ihre Faust auf meinen Brustkorb fallen. Vielleicht lacht sie so hemmungslos, weil sie merkt, dass sie die Pointe ihrer Geschichte ziemlich perfekt getimt hat.

Sie kann nicht mehr aufhören zu lachen. Sie hat sich jetzt ganz auf mich geworfen. Sie hält mich an den Armen fest, drückt mich auf die Matratze, drückt ihre Stirn auf meine Stirn und lacht mir voll in den Mund.

Ich schiebe ihren Körper von mir weg und frage sie:

Magst du eigentlich Sperma in deinem Mund?

Sie hält jetzt ihre Hand vors Gesicht. Sie rollt sich zurück auf ihre Seite der Matratze, fast so, als ob sie sich gleich vor Lachen über meine Sperma-Frage übergeben müsste.

Ich mag Sperma. Es riecht immer anders. Ist verrückt.

Wieso redet ihr über mich? Du und Malick und Jean-Luc?

Alle reden über dich. Das weißt du doch.

Weiß ich nicht.

Sie haben großen Respekt vor dir. Alle. Malick, Jean-Luc, Willi, Ibrahim, die anderen Fahrer, auch die Syrer. Alle Fahrer, die dich persönlich kennen, respektieren dich. Sie sehen doch, wie du kämpfst. Malick sagt, du würdest nach einer *Ganzheit* suchen. *Community*, sagt Jean-Luc. Was immer das ist, Tom. Darum geht es doch im Leben. Wir wollen alle finden, was wir uns unbewusst wünschen. Darum trauerst du doch, Tom, oder?

Wer setzt dir solches Zeug in den Kopf? Malick?

Niemand. Ist mein eigenes Wissen. Ich bin nicht auf den Kopf gefallen. Ich studiere das Leben, bin schließlich auch schon ziemlich alt.

Du bist erst dreiundzwanzig. Vielleicht hast du schon zu viel Sperma geschluckt.

Hast du sie noch alle?

Sie lacht nicht mehr.

Das ist es nicht, Tom. Ich weiß einfach, was Selbstbeobachtung bedeutet. Und das hat nichts mit Selfies oder sich im Spiegel anschauen zu tun. Ich meine diese Reise nach innen. Viele Mädchen in meinem Alter fürchten sich davor. Die denken vielleicht an unseren Planeten. Aber das eigene Innere ist ihnen total fremd. Mir nicht. Und Malick auch nicht. Hat nichts mit Sperma zu tun.

Sie küsst jetzt meine Lippen.

Du hast schöne Lippen. Wie ein Afrikaner. Auch dein Haar fühlt sich wie das Haar von Malick an. Sehen deine Kinder auch so aus?

Ich ziehe ein Foto von Nina und den Jungs vom Nachttisch, es zeigt Vince und Frank mit Rastalocken.

Woher kommen denn diese Rastalocken?

Musst du meine Mutter fragen. Sie hat sie uns vermacht.

Woher kommt deine Mutter?

Aus Altstetten, ein Stadtteil von Zürich.

Schweigen.

Wieso redet ihr über die Haare meiner Jungs und über mein Sexleben mit Nina?

Sei nicht paranoid. Wir wollen dir helfen.

Bloß weil Nina mein Sperma ausspuckt?

Vielleicht.

Sie lacht sich wieder krumm, beugt sich über mich, hält dazu ihre Brüste fest.

Kannst du mir etwas erklären, Nicky. Was hat das überhaupt zu bedeuten, wenn ein Mädchen Sperma schluckt? Heißt das jetzt, sie liebt dich viel mehr als jene, die das nicht tun?

Keine Ahnung, Tom.

Wir denken noch ein bisschen über Sperma nach. Und was das genau bedeutet. Irgendwann schlafen wir ein.

13:28. Aufgeschreckt. Selbst durch dicke Isolationsfenster ist der Start von Passagierjets auf dem Flughafen Bern-Belpmoos zu hören. Die Jets fliegen niedrig an unserem Haus vorbei. Zum Glück starten und landen täglich gerade nur zwei größere Jets in Bern. Manchmal starten und landen Regierungsmaschinen. Meistens sind es kleine Propellermaschinen.

Was ist geschehen, Tom? Du bist aufgeschreckt.

Nicky liegt neben mir, offenbar hat sie mich im Schlaf beobachtet. Sie hat mich mit einem Öl eingerieben, das nach indischem Patschuli riecht.

Gerade habe ich davon geträumt, dass Nina feuerbestattet wurde.

Na und, was war daran so schlimm?

Ach, Nicky. Das muss dich nicht kümmern.

Bitte!

Ich träumte von Ninas Tod in der Isolation eines Krankenhauses, in der septischen Welt. Alles musste total hygienisch sein. Und dann wurde sie verbrannt.

Und was soll schlecht an der Feuerbestattung sein?

In meinem Traum war es so, dass mir der Bestatter eine Feuerbestattung empfahl – weil das auch gleich alle Sorgen verbrenne.

Sorgen?

Ja, dass sich Nina vielleicht doch noch bewegen könnte.

Was?

Ich lache sie an, kitzle sie an den Füßen.

Mach jetzt keine Witze, Tom.

Mache ich nicht. Hast du nicht gewusst, dass Haare, Nägel, Zähne auch nach dem Tod weiterwachsen. Hast du nicht gewusst, Nicky, was?

Sie beugt sich nach vorn, schaut ihre Zehennägel an. Dann reibt sie sich verträumt zwischen den Beinen.

Auch der Schweiß fließt weiter. Und eine Erektionen ist auch möglich.

Sie starrt mich grinsend an. Dann schlägt sie ihre Faust gegen meine Schulter.

Und was ist mit Leichen, die man begräbt?

Die würden wirksame Heilmittel liefern. Die Verwesung sei fruchtbar, Quelle des Lebens. Hast du das nicht gewusst, Nicky?

Quelle des Lebens?

Die Kleider von Toten könnten sogar heilen. Zumindest glaubten die Belgier noch vor dreihundert Jahren daran.

Sie lacht.

Die Belgier? Du bist echt lustig, Tom.

Nicky dreht sich zu mir. Sie hält jetzt so eine Art Wache an meinem Bett.

Was willst du von mir, Nicky?

Dich verwöhnen, Tom. Das ist alles. Malick sagt, man muss Trauernde wie Heilige behandeln. Die sind in einem göttlichen Zustand.

Das wären aber weltweit sehr, sehr viele Götter, bei denen man wachen müsste.

Sie streichelt meine Schulter.

Aber Millionen Menschen können ja nicht alle gleichzeitig betrauert und zu Göttern erklärt werden. Dann bräche das Leben auf der Erde zusammen. Trauer ist schlecht fürs Geschäft und die Zukunft der Welt.

Ich stehe auf, gehe ins Badezimmer.

Nicky bleibt auf dem Bett liegen.

Möchtest du, dass ich noch bleibe, Tom?

Mir egal.

Ich will dir wirklich nur helfen.

Steck dir deine Hilfe in den Arsch. Ich glaube dir eh kein Wort.

Ich stelle mich im Badezimmer vor den Spiegel und studiere das Wort »Selbstmitleid« von allen Seiten. Wie wird Frank reagieren, wenn er mich so sieht?

Dad! Snap out of it! Das wird er sagen. Er wird mir ein kleines Fußballspiel auf dem Pausenplatz vorschlagen.

Wie früher, Dad. *Don't be sooooo pathetic, Dad! Snap out of it!*

Lege mich zurück aufs Bett.

Gebe Nicky Trockenfruchtstücke.

Sie saugt daran. Schaut mich an.

Irgendwann schlafe ich wieder ein.

15:45. Ich erwache schweißgebadet. Hat sie mich absichtlich geweckt? Sie sitzt im Schneidersitz auf dem Bett, spielt mit meinem rechten Ohr.

Wie lange hat man gesagt, sollst du bei mir bleiben?

Solange du mich haben willst.

Ich blicke in ihre leuchtenden, lebendigen Augen voller Lebensfreude.

Um 16:30 Uhr kommt mein Sohn von der Schule. Bis dahin musst du weg sein.

Okay, bis dahin haben wir also noch …

Sie starrt jetzt zum Nachttisch und auf die Uhr mit den roten Leuchtziffern.

… 26 Minuten.

Was hat dir Jean-Luc sonst noch über mich erzählt?

Sie überlegt. Ihr Blick heftet sich wieder an die Seigaiha-Tapete. Sie lässt ihre leuchtenden Augäpfel kreisen.

Dass du … dass du mit Nina auch dann noch Sex haben wolltest, als sie schon im Sterben lag. Ist das wirklich wahr?

Schweigen.

Geht dich nichts an.

Nicky hält jetzt meine Hand.

Wieso bist du eigentlich Fahrer geworden, Tom?

Weiß nicht. Jean-Luc hat mir den Job angeboten.

Aber du hättest auch Stadtführer für Ami-Touristen sein können, oder ein paar Tennisstunden geben können.

Ich hab's versucht, Nicky.

Wieso Nachtchauffeur?

Wollte nicht abstumpfen. Manche Trauernde kehren ins Leben zurück, als ob nichts gewesen wäre. Manche werden hinterhältig und paranoid, andere gemeingefährlich und kriminell. Ich bin Fahrer geworden.

Nicky lacht. Wieso sie lacht, ist nicht ganz klar. Ein unverstelltes Lachen. Schon lange nicht mehr so ein Lachen gehört. Als würde sie nicht nur gern lachen, sondern auch gerne leben. Gerne leben.

Noch zehn Minuten, Nicky, dann musst du hier raus.

Glaubst du an Gott, Tom?

Nein. Aber ich wünschte manchmal, ich könnte es. Kann ich aber nicht. Zum Glück habe ich beim Fahren Klarheit gewonnen.

Klarheit? Das sagt Malick auch. Wenn er Limo fährt, findet er Klarheit.

Vielleicht liegt es an der Schweizer Nacht.

Vielleicht. Manchmal würde es sich anfühlen wie eine, wie nannte er das noch mal, ja, wie eine Erleuchtung, sagt Malick.

Geht mir manchmal auch so, Nicky. Aber ich kann es nicht glauben. Also halte ich an einer Raststätte an und lasse den Verkehr vorbeigleiten. Ich warte ab, ob das wirklich mein neues Leben ist, mit den Erleuchtungen und so. Nein, ist es nicht. Alles erlogen.

Schweigen.

Und das kannst du übrigens auch gleich Jean-Luc ausrichten. Ich bin nicht Teil seiner Satori-Erleuchtungs-Posse oder was er sich für seinen Männerklub vorstellt. Er soll mir auch keine Mädchen mehr vorbeischicken.

Tom! Das sieht er nicht so. Da liegst du falsch, Tom. Er macht sich einfach Sorgen um dich. Und um deine Kinder.

Wieso Sorgen?

Die Polizei war bei ihm. Wusstest du das nicht? Haben ihn über seinen Betrieb und dann noch über dich und dein Verhältnis zu deinen Söhnen ausgefragt.

Nicky nimmt jetzt meine Hand. Sie streichelt meinen Handrücken.

Tom, sag mir, was los ist?

Ich reiße mich von Nicky los, stehe auf, laufe durch die Wohnung, gehe zwei Meter Richtung Nordfenster, dann wieder zwei Meter zurück Richtung Balkon. Zwei Meter vorwärts, dann rückwärts. Mein Körper spielt jetzt mit meinem Geist, der Geist spielt mit meinem Körper. Nicky ist aufgestanden. Sie will mich in die Arme nehmen.

Schau mich an, Tom.

Gehe ins Badezimmer. Klatsche mir kaltes Wasser ins Gesicht.

Tom, du brauchst Hilfe.

Brauche eure Hilfe nicht. Danke.

Okay, dann lass dir wenigsten eine Supersorte Marihuana empfehlen.

Sie sucht nach ihren Kleidern, zieht ein Päckchen aus der Innentasche ihres Rocks.

Hier, nimm dir was. Sehr wirksam.

Nicky lacht. Sie lacht einfach weiter, als ich mich längst schon wieder ins Badezimmer zurückgezogen habe. Setze mich auf die Klobrille.

Wir hatten immer eine gute Zeit in Badezimmern. Besonders in billigen Motelzimmern. Unter der Dusche stehen. Gemeinsam den Spiegel anstarren. Nina verbrachte Stunden im Badezimmer.

Glotze jetzt die Badezimmertür an. Mein Badetuch. Den Duschvorhang. Langsam hellt die Stimmung auf, als wäre beim Glotzen ein Schalter umgelegt worden. Als ich aus dem Badezimmer komme, ist Nicky weg. Gehe auf den Balkon. Blick über die Brüstung nach unten. Nichts.

19

Auf dem Balkon in Los Angeles hat Nina die perfektesten Joints gedreht. Wie schön die gedreht waren. Dann versuchte sie sich an einem dieser schwierigen französischen Lungenzüge, gleich direkt durch den Hals statt noch in die Nase. Hatte sie schon mit dreizehn gelernt. Und perfektioniert. So was lernt man in Biel. Nina ließ den Rauch elegant aus ihrem Mund qualmen und begann gleichzeitig zu quatschten. Und wie. Ich glaubte manchmal, sie hätte mich zu Tode quatschen können. Nicky war genauso drauf. Genauso gut. Es gibt also noch andere Frauen auf der Welt, die das beherrschen. Und sie sehen dabei zerbrechlich aus, schlampig angezogen, bleich im Gesicht. Es gibt ihn noch, diesen Typ Frau. Trägt auch mal ein unglaublich altmodisches rotes Samtkleid, hauteng, von schmalen Trägern gehalten, und trotzdem überlässt so ein Kleid alles der Fantasie.

Sie trägt jetzt Stöckelschuhe. Einfach so. Sie kommt mir entgegen, sie küsst und streichelt mich, ihre Kleider gleiten zu Boden, wir fallen aufs Bett, vergessen alles, vergessen die Kinder, spüren nur noch uns, immer und immer wieder. Und Nina hält immer zu mir. Immer. Hält meine Hand, wenn ich eine Hand brauche. Schaut mit mir in die Weite, immer die gleiche Weite, die gleichen Berührungen. So wie jetzt vom Balkon aus in Bern.

Gleich kommt Vince. Das wird ein guter Abend, und ein noch besserer Morgen. Er wird meine Hand halten. Morgen kommt Frank in Zürich an. Und das Leben wird richtig gut. Vielleicht könnte ich noch ein bisschen duschen, eine halbe Stunde oder so, einfach unter dem Wasserstrahl stehen, Schweizer Wasser auf meiner Haut. Und dann etwas Gutes für Vince kochen. Kochen für Vince gibt Sicherheit. Macaroni and Cheese, Baked Beans.

Er kommt nach Hause, knallt die Tür.
Hi Daddy.
Hi Vince. Schon zurück?
Ja.
Lass uns was Gutes essen. Was richtig Gutes.
Makkaroni with Cheese.
Genau.
Und dann Basketball spielen, Dad.
Genau.
Dann bin ich bereit für Frank.
Freust du dich?
Das wird der Wahnsinn.
Wir essen Makkaroni with Cheese, Baked Beans und hören Radio Schweiz International. Malibu brennt. Vierzig Flüchtlinge ertrinken im Mittelmeer. Die Schweiz will ihre Einwanderungsgesetze verschärfen. UBS-Aktien verlieren dramatisch an Wert. Räume die Teller in die Spülmaschine. Vince hilft mir. Meine Hände zittern.

Vince putzt sich die Zähne. Dann stellt er sich nackt vor seinen Nachttisch, verschiebt die Position von Steinen und Knochen. Objekte aus dem Niemandsland der Sonora-Wüste. Rote Steine, gelbe Steine. Getrocknete Käfer, Kaktusschoten, der Schädel einer Wüstenratte. Mystische Objekte, jedenfalls für Nina.

20:30. Lege mich neben Vince. Er liegt auf dem Rücken, schaut auf sein iPhone.

Was schaust du dir an?

Hell's Kitchen.

Ich berühre ihn am Arm, um zu zeigen, dass es mir im Grunde nichts ausmacht, dass er auf YouTube abhängt. Vince steht auf Koch-Shows. Das begann mit Anthony Bourdain. Weil Nina vernarrt war in Bourdain. Seither übernimmt Vince die Einkäufe im Supermarkt. Ich schreibe alles auf einen Zettel, und schon füllt er gehorsam den Kühlschrank. Und ich muss mich nicht an eine Supermarkt-Kasse stellen.

Ich stehe wieder auf, gehe zum Fenster und schiebe es einen Spalt weit auf, spüre, wie die kühle Herbstluft hereinkommt, höre, wie ein Hund im Hundepark bellt. Dann gehe ich wieder ins Bett. Die Bettdecke ist völlig verdreht, draußen schlägt die Kirchenuhr 21:45 Uhr.

Richte mich im Bett auf und lehne mich ans Kopfende. Stopfe mir das Kopfkissen in den Rücken und versuche, es mir neben Vince bequem zu machen. Sein Gesicht ist ausgeleuchtet, er trägt Kopfhörer. Ich habe ihn für morgen von der Schule abgemeldet, damit wir Frank abholen können.

Ich muss dir jetzt etwas sagen, Vince.

Ich bitte ihn, die Kopfhörer abzunehmen.

Ich habe ab und zu starkes Herzklopfen, manchmal fühlt es sich an, als würde es mir gleich aus der Brust springen.

Wieso, Dad? Bist du krank?

Ich weiß es nicht, manchmal fühlt es sich so an.

Wie?

Du weißt, was zu tun ist, wenn mir was passiert …

Nein, weiß ich nicht.

Ich wollte es dir nie sagen, weil ich dir keine Angst einjagen wollte. Aber ich kriege das manchmal.

Seit wann?

Seit wir in der Schweiz leben. Falls mir was passiert, wählst du die Nummer des Sonnenhof-Spitals. Nicht die allgemeine Notfallnummer. Kapiert?

Okay. Wieso das Sonnenhof?

Einfach so.

Du kannst deine Kopfhörer wieder aufsetzen.

Okay.

Ich nehme seine Hand und halte sie in meinem Schoß. Ich muss unweigerlich daran denken, dass sich mit Franks Rückkehr unser Schicksal wenden könnte. Wenn wir alle wieder zusammen sind, werden wir spüren, dass wir noch eine lebendige Familie sind. Dass es eine Zukunft gibt. Auch ohne Nina. Vielleicht kann ich die Traurigkeit vertreiben. Aber will ich das überhaupt? Der Himmel drapiert in Grau, das Drop-out-Dasein, von der Welt zurückgezogen, ohne für diese Verantwortung zu übernehmen, mit geschärftem Bewusstsein und ohne Verpflichtungen. Das ist die Trauer. Könnte ein Lifestyle der Zukunft werden, wie damals, *No Future, Joy Division*.

Ich lege den Arm um Vince, hoffe jetzt, dass ich ruhig neben ihm schlafen kann, ohne Träume. Dass sie nicht wieder erscheint im Schlaf, wie in den letzten Wochen, um mir die Schwelle zwischen Leben und Tod zu erklären. Die Selbsttranszendenz. Nur der Wahnsinn könne mir Erleuchtung bringen. Du wirst vor Trauer sterben, hat mir Nina angedroht. Noch weiß sie nicht, dass Frank zu uns kommt. Er wird mich erlösen. Dabei träume ich immer öfter davon, dass Nina unter den richtigen Umständen zu uns zurückkehren wird. Unter den richtigen Umständen. Meistens erscheint sie dann in der Form einer Orchidee mit helmförmigen Lippen. Sie ist dunkel-bronze-farbig und trägt an beiden Seitenlappen schwarze Warzen. Sie verfügt über chemische Signale. Sie kann durch ganz bestimmte Düfte ganz bestimmte Insekten anziehen.

20

11:50. Wir stehen viel zu spät auf und ziehen uns an.

Wieso stehst du so spät auf, Dad? Schlecht geschlafen? Du hast mal wieder im Schlaf gequatscht.

Was habe ich gesagt?

Irgendwas von einer Orchidee, die dich betrügt. Mehr weiß ich nicht, hab mir Kopfhörer aufgesetzt und bin wieder eingeschlafen.

In mancher Hinsicht ist es jetzt ein Morgen wie jeder andere, nur dass wir alles schneller machen. Ich trinke Kaffee, Vince isst seine *Reeve's Puff Cereals*. Er sagt, heute wird ein schöner Tag in der Schweiz. Super, kein Klimaschock für Frank.

Ich gebe Vince einen Kuss. Die Sonne steht über den Alpen, und ein Schwarm Vögel fliegt von einer Seite von Bern zur anderen.

13:30. Abfahrtbereit. Vince hat sich neben mich gesetzt. Er studiert die Armaturen und entdeckt immer wieder Neues. Er bedient das iPad an der Mittelkonsole, verbindet sein Gerät und wandert durch die interaktive Betriebsanleitung.

Dad, dieser Wagen ist einfach total krank!

Vince, Sicherheitsgurt!

Ich gleite auf die A1. Vince zieht die Beine an, macht es sich bequem, wie weggetreten hält er das iPhone vor sein Gesicht.

Ich spreche in mein Lenkrad.

Hey Mercedes! Flughafen Zürich-Kloten, Parking 6.

GPS reagiert sofort und zeichnet in bunten Farben eine längst bekannte Route auf den Bildschirm. Ich sehe sie trotzdem immer wieder gern, die Schweizer Straßenkarte mit diesen wunderbaren Ortsnamen: Hellsau, Schwerzi, Rank oder Muhen.

What a Wonderful World, spreche ich plötzlich zu mir selbst und kann es nicht fassen, dass mir dieser Kitsch in den Kopf schießt. *What a Wonderful World*. Ist das nicht dieser Song von Louis Armstrong, den schon meine Mutter mit Vater und deren Mutter mit Opa gesungen haben?

I See Trees of Green, Red Roses Too
I See Them Bloom for Me and You
And I Think to Myself, What a Wonderful World
I See Skies of Blue and Clouds of White
The Bright Blessed Day, the Dark Sacred Night
And I Think to Myself, What a Wonderful World

Snap out of it, Dad, würde Frank jetzt sagen. Fahre die Strecke Bern – Zürich erst zum dritten Mal im Tageslicht. Alles noch erträglich. Ihre Stimme nur leise, fern, fast nicht hörbar, seit ich Louis Armstrong abgewürgt habe. Im Tageslicht schafft sie es nicht auf meine Windschutzscheibe. Niemals. Zähflüssiger Verkehr. Was mich eher belästigt, sind Signale in der Landschaft, denen ich im Tageslicht Bedeutung beimesse. Bin drauf und dran, jeder Auffälligkeit eine Botschaft anzudichten. Würde beim Fahren in der Nacht nie passieren. Bei Hindelbank stand ein kahler, sterbender Baum auf einem braunen Feld neben der Autobahn. Bei Kilchberg saßen gleich zwei weiß-braun-schwarze Mäusebussarde wachsam auf einem Wildschutzzaun. Nebeneinander, ganz nah. Das gibt es gar nicht.

Hast du das gesehen, Vince? Zwei Mäusebussarde saßen Spalier, fast wie in *Harry Potter*.

Vince schüttelt den Kopf.

Dad, please! Hör auf, mich zu beobachten.

Bei Kirchlindach lag eine zappelnde Möwe genau auf der gestrichelten Mittellinie zwischen den Spuren.

Hast du das gesehen, Vince?

Was, Dad?

Vince nimmt den Kopfhörer ab.

Da lag gerade eine verletzte Möwe auf der Mittellinie.

Na und?

Irgendein Auto muss sie doch erlösen.

Dad, lass mich bitte in Ruhe.

Wie kommen Möwen überhaupt nach Kirchlindach?

Vince setzt den Kopfhörer wieder auf. Er schüttelt den Kopf, verdreht die Augen.

Das ist genau, was ich verhindern wollte. Schweizer Tageslicht ist Gift für mich. Dann setzt eine Art Symbolismus ein, der mich sofort im Griff hat. Absolut unerträglich. Suche über Google den Begriff »Symbolismus« und bekomme folgende Antworten:

Die Wahrheit wird nicht direkt beschrieben (im Kontrast zum Realismus und Naturalismus, die versuchen, die Wirklichkeit so unverfälscht wie möglich nachzubilden). Hinwendung zur irrationalen Welt- und Kunstanschauung, Abkehr von der sozialen Wirklichkeit. Die reale Welt soll mit Gefühlen und Worten verbunden werden. Schaffung einer eigenen Kunstwelt statt Realität. Der Dichter soll nicht moralisieren oder belehren. Der wichtigste Vertreter der symbolistischen Lyrik ist Rainer Maria Rilke.

Bei Brugg versuche ich es jetzt mit dem Tunnelblick. Direkt auf den Asphalt gerichtet. Schaue weder links noch rechts.

Nina beobachtet mich. Sie will herausfinden, wie ich auf Tageslicht reagiere. Ist doch klar, wie sie es interpretieren wird: Schaffe ich ein Leben im Licht, dann ist das Verrat. Logisch: Du hast mir im Tageslicht erlaubt zu sterben. Es war der 22. September 2014 um 08:30 Uhr, Pacific Standard Time.

Dich sterben lassen? Diese Macht habe ich nicht, Nina! Habe ich ihr wirklich schon tausendmal gesagt! Tausendmal!

14:45. Unfall bei Oftringen. Zwei Wagen sind betroffen. Polizei und Krankenwagen blockieren die rechte Spur. Zähflüssiger Verkehr. Vince streift den Kopfhörer in den Nacken.

Was schaust du?

YouTube.

Ja, klar, aber was?

The Making of Walking Dead.

Er schaut zu mir, er bereitet eine Frage vor.

Sag mal Dad, wie viele Arten zu sterben gibt es eigentlich?

Keine Ahnung. Wieso?

Einfach so.

Würde mal sagen: den plötzlichen Tod, den langsamen Tod durch Demenz, den Auf-und-ab-Tod durch Organversagen und den Tod durch Krebs, so wie bei Mama.

Und was ist der schlimmste Tod?

Wieso willst du das wissen?

Einfach so.

Die Wissenschaft sagt, Krebs sei der beste Tod. Der schlimmste Tod sei Demenz. Der ist langsam, extrem langsam.

Du willst also schnell sterben?

Nicht zu schnell, das auch nicht. So wie Mama starb, ist für alle am erträglichsten.

Ehrlich jetzt, Dad? Für alle?

Ja. Mit Liebe, Morphium und viel Gin.

Er setzt den Kopfhörer wieder auf.

15:10. Zweidimensionale Muster an den Wänden des Gubrist-Tunnels. Setze die Sonnenbrille auf. Innenbilder lösen sich auf.

Vierspurige Flughafenzufahrt, umgeben von leblosem, verdorrtem Land.

Das also ist Zürich im Tageslicht, sage ich zu Vince.

Er spielt mit seinem iPhone.

Wieso redest du nicht mit mir, Vince?

Ich bin voll im Spiel drin, sorry.

Seit Bern im Spiel drin?

Ja.

Vielleicht ist es eine sensorische Deprivation. Erkenne Beton und Stahl, dazwischen drei trübe Farben. Nur nicht die Nerven verlieren, Tom, einfach sicher in die Ankunftshalle 2 gelangen.

Spürst du Frank in deinen Armen? Haut, Lippen? Nicht weinen, bitte, Lord, keine Tränen, beide Jungs in meinen Armen und nicht weinen. Wieso nicht weinen?

Fahre in der Arrival-Spur, direkt auf eine riesige OMEGA-Werbefläche zu. Linke Spur: P3, P2, P1. Mittelspur: Vorfahrten. Rechte Spur: P6. Grüne Lichter, rote Lichter. Versprengte Asiaten mit Rollkoffern auf der Hochstraße. Kein Augenkontakt. Riskiere einen Blick aus dem Seitenfenster. Maschine der *Ethiopian Airline* rollt zur Startbahn.

Schau mal, Dad. *Ethiopian Airline.*

Der Himmel über Zürich-Kloten blendet jetzt mit einer Schönheit, die ein Schweizer Himmel in meiner Erinnerung nie besessen hat.

Parkhaus 6, Dad. Da, du musst rechts fahren!

Das größte Parkhaus der Schweiz. 7500 Parkplätze auf zehn Etagen. Schranke geht hoch, drehe Kreise bis in den neunten Stock. Einzelplatzüberwachung mit Leitsystem. LED-Beleuchtung. 397 Plätze im neunten Stock frei. Flughafen-App meldet: Ankunft LX 041.

Frank ist gelandet. Radio Planet 105 meldet: *Strahlend schöner Tag in Zürich. Später Gewitter in den Bergen möglich.*

15:16. Im Lift brennen Deckenstrahler Löcher in meinen Kopf, Meta-Gedanken. Denke, dass ich hier unterwegs bin, um meinen älteren Sohn abzuholen, und dass dies unserem Leben die entscheidende Wendung geben wird, während ich denke, dass ich auf dem Weg bin, um meinen Sohn abzuholen, und dass dies unserem Leben die entscheidende Wendung geben wird.

Die Lifttür geht auf. Sofort liefert jeder Blick einen Gedanken, der mir gnadenlos erzählt, dass ich das jetzt sehe, während ich denke, dass ich es sehe.

Jetzt einfach Vince folgen. Bitte führe mich, Vince! Geradeaus laufen, das sollte nicht schwierig sein, halte dazu seine Hand. Dann einen Fuß vor den anderen setzen, wie jeder neue Gedanke dem nächsten folgt. Circa 500 Meter bis zum Eingang *Arrival 2*. Die Arme nicht übertrieben schwingen lassen. Werbefläche von *FALCON Swiss Private Banking* begleitet uns.

Noch muss Frank durch den Zoll, Vince.

Das wird er schaffen, Dad. Er ist nicht blöd.

Sie müssen ihn reinlassen.

In der Ferne lächelt Roger Federer auf einer Werbefläche für Kaffeemaschinen, für das Gesunde. Umgebung erscheint grobkörnig und sandfarben. Mein Blick ist jetzt nicht nach vorn gerichtet, sondern an den Rand meines Blickfeldes, dort bin ICH, denke ich und schaue genau das an, was SIE will, dass ich anschaue. Okay. Einfach alles Reflektierte als das Gute wahrnehmen. Ist gar nicht so schwer, Tom. Ich bin nicht krank. Ich existiere bloß im Zustand der Trauer. Das muss erlaubt sein. Die Ankunftshalle 2 hat eine weiße Innenraumgestaltung, und noch ein bisschen stärkeres Kunstlicht. Früher konnte man durch die Fensterscheibe den Reisenden zuwinken, sie dabei beobachten, wie sie ihr Gepäck vom Laufband holen. Die Scheibe ist jetzt aus Sicherheitsgründen durch ein Wand ersetzt worden.

Wieso zittert deine Hand, Dad?

Keine Ahnung. Bin aufgeregt. Du nicht auch?

Doch, ein wenig. Aber ich zittere nicht. Geht's mit der Helligkeit, Dad?

Ja, alles okay. Wieso starren uns die Leute an? Vielleicht denken sie, ich sei blind. Weil ich deine Hand halte.

Macht dir nichts daraus, Dad.

Danke, Vince. Lord, bin ich guter Laune!

Diese Leichter-als-Luft-Euphorie ist plötzlich wieder da. Das bisschen emotionale Reife, das ich wieder besitze, verdanke ich meinem zwölfjährigen Sohn. Vielleicht sollte ich noch Luftballons kaufen mit einem großen WELCOME drauf.

Wollen wir für Frank Luftballons kaufen?

Luftballons? Niemals, Dad. Ist total peinlich.

15:26. Vielleicht ist Frank schon am Gepäckband. Vielleicht.

Dann kann es nur noch Minuten dauern.

Schau dir mal diese Menschen an. Wer da alles einfliegt. Siehst du das, Vince? Alle wollen fliegen, und die ganze Welt will die Schweiz sehen.

Schau, wie glücklich die alle aussehen.

Wieso sollen die glücklich sein, Dad?

Sie haben es in die Schweiz geschafft.

Wir drängen uns weiter vor, bis zur Brüstung, um einen besseren Blick zu gewinnen. Reisende schlendern mit ihren Rollkoffern oder Gepäckwagen in die abgesperrte Ankunftszone, gerade haben sie den Zoll passiert. Neben uns stehen Menschen mit Luftballons und Blumensträußen. Einige tragen Schilder mit Namen drauf. Chauffeure warten auf ihre Passagiere. Zwei Mädchen stehen mit Tramper-Rucksäcken verloren in der Ankunftszone. Vielleicht haben sie erwartet, dass sie jemand abholt. Aber niemand ist gekommen.

Siehst du die beiden Mädchen? Sind vielleicht gerade zurück von einer Weltreise. Wie du in ein paar Jahren.

Das mache ich bestimmt nicht, eine Weltreise. Bleibe hier bei dir.

Wieso?

Einfach so reisen zum Vergnügen ist doch krank.

Echt? Das glaubst du?

Sicher.

Aber schau, diese Mädchen, schau sie mal genau an. Ich finde, man kann denen ansehen, dass sie Dinge in der Welt gesehen haben, die andere nie sehen werden, nie sehen können.

Du siehst Gespenster, Dad.

Kannst du dich eigentlich an *Blade Runner* erinnern, Vince?

Wie kommst du darauf? Du hast ihn mir gezeigt, als ich sieben war. Kann mich an nichts mehr erinnern. Ziemlich alter Film.

Da gibt es eine Szene, Vince. Die letzte Szene des Films. Meine Lieblingsszene. Rutger Hauer, der Replikant, sagt sterbend zu Harrison Ford: »Ich habe dort draußen Dinge gesehen, die ihr Menschen nicht glauben würdet. Brennende Kampfschiffe an den Ufern des Orion. Ich sah C-Strahlen glitzern in der Dunkelheit am Tannhäuser

Tor. Und nun: All diese Momente werden verloren sein in der Zeit, wie Tränen im Regen.«

Und? Was bedeutet das?

Muss gerade daran denken, weil ich diese Mädchen sehe. Wie die dreinschauen, so verloren, wie unter Schock, nachdem sie erstmals die weite Welt außerhalb der Schweiz gesehen haben.

15:29.

Warten in der Ankunftshalle macht Spaß, findest du nicht auch?

Ja.

All diese Menschen.

Ja.

Wo steckt Frank? Wieso kommt er nicht?

15:34.

Was ist los, Dad? Du sagst nichts mehr.

Antworte nicht. Spüre ein Pendel im Kopf. Es schlägt hin und her.

Willst du ein Wasser?

Nein.

Wie oft sind wir hier eingereist. Kannst du dich erinnern?

Wir haben es immer überlebt. Gut dreißigmal in den letzten sechzehn Jahren.

Arrival 2 in Zürich-Kloten fühlte sich immer gut an. Wie ein Tor zum Paradies. Deine Großmutter hat Fotos gemacht. Nina war genervt wegen des Posierens für Grandma.

Sie war wütend, Dad.

Es wurden zu viele Fotos gemacht.

Stimmt.

Versuche gerade, das Pendel zu stoppen, das mich aufrichten und wieder niederdrücken will. Schön ruhig bleiben. Gleich ist Frank bei uns.

Vince schaut auf sein iPhone.

Dad, er hat sich gemeldet! Hier. Über Whatsapp. Er ist beim Gepäckband.

Flug LX 161 aus Tokio ist gerade gelandet.

Wie sehe ich aus, Vince?

Okay.

Wie wird er drauf sein, dein Bruder?

Keine Ahnung. Bestimmt müde.

Vielleicht wird er mich nicht erkennen. Weil ich so bleich bin. Weil meine Haare ergraut sind. Weil mir ein Bart gewachsen ist. Sehe ich krank aus, Vince?

Nein, erzähl keinen Blödsinn, Daddy. Du siehst super aus.

15:39.

Aber wieso trägst du eigentlich immer deinen Fahreranzug?

Weiß nicht. Meinst du, dass mich Frank verantwortlich machen wird?

Für was?

Die Schweiz. Er sagt doch immer, dass es die heuchlerischste unter allen Heuchlernationen ist.

Wird er nicht tun, Dad.

Schau dir doch die Leute an, die jetzt hinter der Sicherheitswand hervorkommen und hier hineinfluten. *Das sind keine normalen Menschen, Dad*, das wird Frank bestimmt wieder sagen. *Das ist die oberste Schicht der Menschheit, Dad. Hier lebst du also mit Vince, fährst eine Luxuslimousine in der Nacht und redest ständig mit Mama, die tot ist …*

Wenn er das tut, Dad, dann gib ihm einfach recht. Dann kannst du die Stimmung retten.

Okay. Wenn er wieder anfängt, die Schweizer schlecht zu machen, dann gib ihm einfach recht: *Du hast recht, Frank. Denen ist unsere Welt egal, die schauen nur auf ihr eigenes Wohl. Es ist unfassbar traurig. Die haben kein ernsthaftes Verantwortungsbewusstsein …*

Eine schwarze Familie trottet jetzt mit drei Gepäckwagen vom Zollbereich in den Ankunftsbereich. Womöglich sind sie mit der verspäteten Maschine aus Nairobi eingeflogen. Sie blicken wie unter Schock auf ihr Empfangskomitee.

Schau, so sind wir auch angereist, Dad. Mit vier großen und vier kleinen Koffern. Das waren noch Zeiten.

Die kommen gerade von der Ganzkörperkontrolle.

Was passiert dort?

Gepäck und Körper werden durchleuchtet. Ist mir auch schon passiert. Schweizer Zöllner sind gnadenlos.

Die Afrikaner tragen weiße Traditionsgewänder wie Doktor Azikiwe. Drei Gepäckwagen sind mit *Louis Vuitton*- und *Hermès*-Koffern beladen. Sieben Stück. Sie werden jetzt von einem Chauffeur mit iPad empfangen, auf dem ihr Name steht. Der Chauffeur trägt eine Fahrermütze, Sonnenbrille, Fahrerhandschuhe, einen dunkelblauen AT-Fahreranzug, Hemd, Krawatte.

Darf mich jetzt nicht ablenken lassen. Konzentration. Tief durchatmen.

Gleich ist er da.

Gleich bleibt die Zeit stehen.

Es ist 15:45 Uhr, mitteleuropäische Zeit.

21

Frank! Here! Right here!

Er sieht mich nicht.

Come on! Look at me!

Er trägt einen Rucksack und zieht einen Rollkoffer hinter sich her. Er schaut benommen in die Ankunftshalle, eine süße, unwiderstehliche Verunsicherung in seinem zarten Gesicht.

Ich will direkt in seine Arme rennen. Spüre den Drang, ihn zu umarmen, abzuküssen. Aber zwischen uns ist eine Brüstung.

Frank! *Goddammit!* Kannst du mich denn nicht sehen?

Sein Körper verursacht einen heißen Schauer. Er schießt durch meinen Körper, tief aus dem Magen bis in den hintersten Teil der Hirnschale. Dort, wo dieses Ding sitzt. Ich fühle kurz meinen Hinterkopf ab. Aber da ist nichts.

Frank!

Er schaut irgendwohin. Aber nicht zu mir.

Frank! Hier! Schau zu mir! Bitte!

Und dann, ich glaube, er hat mich erkannt. Sein Blick trifft auf meinen Blick, es wirkt wie eine Druckwelle. Reiße den Arm hoch, balle die Hand zu einer Faust, Kopf gesenkt. Frank lächelt mich an. Er hat mich erkannt. Er lächelt.

Frank läuft jetzt aus der Arrival-Zone. Er trägt ein kleines Täschchen quer über seiner Brust, mit der Aufschrift *Ellesse*.

Und dann dieser Look: Enge Sixties-Schlaghosen, unter denen spitze hellbraune Lederschuhe hervorschauen, wie sie vielleicht Arthur Lee von LOVE tragen würde. Ist das jetzt seine Lieblingsband? LOVE?

Dad, Frank hat seinen Look geändert. Schau dir das an. Früher hat er doch ausgesehen wie dieser Typ von *The Clash*.

Franks Augen suchen jetzt nach seinem Bruder. Die Wildheit seines Körpers ist jetzt von seinem scheuen Blick angenehm aufgeweicht. Ich spüre es ganz deutlich, ich muss ihn sofort in die Arme nehmen. Mein Ganzkörperschmerz löst sich jetzt mit einer Sanftheit auf, als ob eine Ladung Oxycodon durch meine Venen fließt. Ich reiße wieder meinen Arm hoch, balle die Hand zu einer Faust. Ich öffne sie und winke. Ich winke wie ein Idiot.

Frank schlendert jetzt mit ernster Miene einfach an mir vorbei. Er tut so, als ob er mich nicht erkannt hätte. Dann hält er abrupt an, dreht sich zu mir, lächelt, er öffnet seine Arme. Mir wird schwindlig. Vince springt ihn von hinten an, lässt sich herumwirbeln, klatscht dann die Hand in Franks Hand, fällt in seine Arme, streichelt über seinen Rücken.

Dann erst stößt Frank ein kurzes »Hi Dad« aus, wir umarmen uns, ich küsse seinen Hals, seine Lippen. Er zieht sein Gesicht von mir weg, ich boxe seine rechte Schulter, nehme ihn nochmals in die Arme, enger, intensiver. Ich küsse dazu seine Stirn. Was für ein Trost.

Und dann ist Vince nochmals dran, sein Lachen ist das natürlichste Lachen der Welt. Es gibt kein schöneres und liebevolleres Lachen. Meine Haut spannt sich. Frank nimmt mich wieder in die Arme, als ob er ahnt, dass ich völlig ausgehungert bin. Seine Lippen suchen mich, leicht geöffnet, so, dass seine schönen weißen Zähne hervorglänzen. Ich kann kaum noch atmen, als er mich an sich drückt. Ich taste seine Arme ab, seine Oberschenkel. Er hat nochmals an Kraft gewonnen, er ist ein junger Mann geworden, denke ich, ein starker, großer, muskulöser, amerikanischer Teenager, durch den Schweizer Blut fließt.

Frank.

So klammere ich mich an meinen Sohn, und seine Arme halten sich an meinem Rücken fest. Und ich stelle mir jetzt vor, wie wir irgendwo im wilden Schweizer Gras miteinander kämpfen und uns gegenseitig wie junge wilde Schwinger auf eine Alpenwiese knallen, und wie ich plötzlich auf seinem nackten, wunderschön geformten achtzehnjährigen Körper liege, er lacht und boxt mich weg. Und ich lasse mich wieder auf ihn fallen, er ringt mich auf den Rücken, raubt mir den Atem. Mein Körper brennt. Er merkt nicht, dass sein Körper meine Rettung bedeutet, mein Rettungsboot. Wie ich ihn umklammere, wie ich ihn küsse, während wir kämpfen, und ich dann plötzlich innehalten muss.

22

Außenwelt, Zürich-Kloten. Der Weg zu Parkhaus 6. Kaum Erinnerungen. Schemenhaft bewegen sich unsere Söhne vor mir. Das Parkhaus wirkt wie ein modernes Gotteshaus. Die Sonnenstrahlen erhellen unseren Weg. Ich beobachte ihre Schritte wie in Zeitlupe, sehe Details am Boden, kleine Vertiefungen, Risse im Asphalt. Ich versuche zu schlucken, aber mein Mund ist ausgetrocknet.

Süß leuchtendes Leben breitet sich jetzt vor mir aus, ein unfassbares Glück, die entspannten, weichen Schritte meiner Söhne auf versöhnlich wirkendem Asphalt.

Und mit jedem meiner Schritte scheint die Krankheit aus mir herauszufließen. Jedenfalls speist sie sich nicht mehr selbst, hämmert nicht mehr gegen meinen Hinterkopf, zerrt nicht mehr im Magen.

Ihre Stimme ist verstummt! Keine Tränen, keine Sehnsucht, keine Gedanken an einen süßen Tod. Aber brauche ich nicht den Trauerzustand, um die Dinge klarer zu sehen? Wenn ich die tote Nina verliere, dann verliere ich alles.

Irgendwann sitzen wir angeschnallt im 600er. Abfahrtbereit. Sofort studiert Frank die Ausstattung. Er sitzt neben mir, bedient das iPad an der Mittelkonsole, spielt mit dem Ambientelicht, verbindet sein

Gerät und wandert durch die interaktive Betriebsanleitung. Vince sortiert die Minibar im Fond.

Ich rieche Franks Schweiß, ich fahre mit meiner Hand über sein Haar. Frank zieht seinen Kopf weg. Er studiert das Widescreen-Cockpit und das kabellose Ladesystem für Smartphones. Er schaut auf das Foto mit Mama auf der rechten Seite.

Ist das Cockpit volldigital, Dad?

Ja.

Kann man die Optik auswählen?

Ja, drei verschiedene Stile.

Holy shit!

Frank konfiguriert jetzt relevante Informationen und Ansichten.

Und das Foto von uns, klebt das immer in deinem Wagen?

Ja, immer.

23

Wo fahren wir hin, Dad?

Keine Ahnung. In die Berge?

Lieber nicht, sagt Vince. Ich möchte nach Hause.

Hat dieser Schlitten vielleicht auch Assistenzsysteme?, fragt Frank ungeduldig.

Ja.

Was für ein kranker Wagen, Dad. Wem gehört das Ding?

Meinem Boss.

Wo sind wir?, fragt Vince.

Westumfahrung. A3.

Wieso fahren wir Richtung Osten?

Einfach so. Lass uns einfach fahren. Weißt du noch? Mit Mama? Einfach ins Nirgendwo fahren, und wenn wir müde sind, schlafen wir im Wagen.

Ach komm, Dad. Nicht hier in der Schweiz. Lass uns nach Hause fahren. Nach Bern.

Frank studiert jetzt ein Assistenzgrafik-Menü.

Kennst du alle Icons, Dad?

Nein.

Dad, gehören diese Hochhäuser zu Zürich?

Ja.

Seit wann gibt es in der Schweiz so viele Hochhäuser?

Die Zürcher sind verrückt nach Hochhäusern.

Sind die Sitze aus echtem Leder, Dad?

Kann sein.

Und die Zierleisten, ist das Edelholz?

Ja.

Das ist ziemlich krank, findest du nicht auch?

Ich weiß.

Und dann diese Beinfreiheit, üppiger geht es nicht mehr.

Mercedes nennt es das *Chauffeur-Paket*. Mehr Beinfreiheit im Fond.

Wir lachen.

Mannomann, bin ich gut gelaunt!

Stille.

Soll ich euch das Allerneuste zeigen? Eine Weltneuheit: ENERGI-ZING, total entspanntes Reisen.

Frank findet auf dem Screen das spezielle Wellness-set-up. Er visualisiert jetzt das Programm auf der Headunit farblich und grafisch, er spielt dazu Ambient-Musik ab.

Was ist das?

Apollo. Hast du uns doch immer zum Einschlafen vorgespielt. Erinnerst du dich? So was von krank, Dad! Die Ambientebeleuchtung ist auf die einzelnen Screendesigns abgestimmt.

Schaue in den Rückspiegel. Drehe meinen Kopf Richtung Vince.

Du kannst verschiedene Farben zu Farbwelten komponieren. Wart mal ab, bis es draußen richtig dunkel wird. Wart mal ab, wie das leuchtet, wenn ich den Wagen in die Schweizer Berge fahre.

Wir fahren in die Berge?
Ja.
Wohin?
An einen Bergsee. Lasst euch überraschen.

24

Riesige Kumuluswolken sammeln sich am Himmel über der Ost-
schweiz.

Es wird ein Gewitter geben, Jungs. Ein richtiges Gewitter.

Was soll daran sein?, fragt Frank.

In Los Angeles seht ihr keine solchen Wolken. Das ist einmalig in
der Schweiz.

Einmalig? Wenn es bei uns brennt, Dad, dann sehen die Wolken
aus wie beim Weltuntergang.

Wie in Katastrophenfilmen, sagt Vince.

Sie spähen durch die Seitenfenster.

Graubünden.

Siehst du dieses Unwetter da vorn? Willst du da wirklich reinfahren,
Dad?

Ja.

Ich spüre Franks Atem.

Ein Hauch.

Von ganz tief drinnen.

Er betäubt mich jetzt.

LOVE.

An was denkst du gerade, Dad?

An euch und an Mama. Und wie schön es ist, dass wir jetzt zusammen sind. Zusammen in einem Wagen sitzen. Wie früher.

Es ist schön, sagt Frank.

Es wäre noch schöner, wenn wir bald zu Hause wären, sagt Vince. Lass uns umdrehen, nach Bern fahren. Ich bin müde. Das ist nicht meine Schweiz.

Deine Schweiz? Das hier ist die Schweiz.

Vince und Frank starren in den Himmel, wo eine schwarze Talwolke hängt.

Seht ihr die Narben des großen Bergsturzes, dort auf der anderen Talseite?

Sie spähen über den Walensee.

Sehe nichts, sagt Vince.

Der Berg kommt hier oft mit ungeheurer Wucht.

Hinteres Rheintal. Gewitterregen hämmert jetzt auf die Karosserie. Blitze. Dann weiter südwestwärts.

Willst du nicht besser anhalten, Dad?, fragt Frank.

Ich spüre seinen Atem.

Warum bist du so still, Dad?

Ich bin nicht still. Fahren reguliert meine Stimmung. Das ist alles.

Magst du deinen Fahrer-Job? Kannst du davon leben?

Ja, kann davon leben. Der Job tut mir gut. Er hat mich ruhiger gemacht.

Wie?

Mama ist oft bei mir.

Schweigen.

Frank sieht mich jetzt von der Seite an, als ob er etwas in meinem Gesicht entdecken will, das er noch nicht kennt.

Dad, wie meinst du das: »Mama ist oft bei mir«?

Sie ist in meinen Träumen erschienen. Sie hat mir Kraft gegeben.

Kraft? Kraft für was?

Ich halte die rechte Hand über meine Augen.

Was für Kraft?, fragt Vince. Was für Kraft?

Dad, du weinst. Wieso weinst du?

Ich weine nicht.

Halt doch einfach an. Da vorne, da gibt es eine Ausfahrt.

Wo sind wir Dad?

Südwesten. Morgen sind wir im Kanton Uri, am Abend vielleicht schon in Bern.

Morgen Abend?

Ja.

Schau mal da vorne. Da ist ein Platz zum Halten. Lass uns dort halten und die Augen schließen. Einfach ein bisschen schlafen, Dad.

Nein. Ich fahre noch eine Weile. In der Nacht wirkt das Ambientelicht am besten.

Schaut jetzt einfach durch die Windschutzscheibe. Vielleicht könnt ihr es ja auch sehen.

Was?

Mama.

Was redest du, Dad? Ich sehe nur Regen.

Dad, du bist müde.

Wieso hältst du nicht einfach an, Dad?

Bitte halt an, sagt Vince jetzt. Du bist müde.

Morgen können wir an Mama denken, sagt Frank. Jetzt solltest du schlafen.

Wieso morgen?

Ich habe Asche in einer Dose mitgenommen. Den Rest von Mamas Asche. Wir können sie morgen verstreuen. Morgen.

Was?

Ja, Dad, ich will die Asche in den Bergen verstreuen, sagt Frank. Stimmt doch, Vince, das willst du doch auch. War doch unser Plan, oder? Mama hat sich das gewünscht. Auf diesem Schweizer Berg. Nicht nur in der Sonora-Wüste. Nicht nur in Amerika.

Stille.

Mama hat sich das nicht gewünscht. Das ist Blödsinn, Boys. Nicht in der Schweiz, hat sie mir gesagt.

Doch, auch in der Schweiz Asche verstreuen, sagt Frank. Hat sie mir gesagt. Nicht nur in der Wüste.

Glaube ich nicht.

Doch, sie sprach von einem besonderen Ort, einem Plateau an der Flanke eines gewaltigen Berges.

Von solchen Orten wimmelt es hier.

Lass uns jetzt schlafen, sagt Frank.

Warum hältst du nicht an, Dad?

Gleich sind wir oben. Auf dem Oberalppass.

Bitte halt dort an. Wir schließen die Augen. Morgen erzähle ich dir alles ganz in Ruhe, sagt Frank.

Was?

Von der Wüste, wo ich die Cops mit Mamas Asche getäuscht habe. Und wie ich kurz im Gefängnis gelandet bin. Und von der Kraft. War echt ein Trip, Dad.

Getäuscht?

Frank lacht, und er legt seine Hand auf meine Schulter.

Ja. Getäuscht.

Ich schalte jetzt das Ambientelicht aus. Der Parkplatz auf der Passhöhe ist leer. Dahinter erstreckt sich ein Tal bis zu den zentralen Schweizer Alpen. Ich beobachte den Wind in der Dunkelheit. Ein starker süßlicher Geruch geht jetzt von meinen Söhnen aus. Ein Hauch von Parfüm. Es hängt an ihrer Haut, manche Düfte halten sich Jahrzehnte. Die Jungs sind eingeschlafen. Der Mond erscheint zwischen Gewitterwolken.

Von welcher Kraft hat Frank gesprochen? Ich lege meinen Kopf an seinen Lockenkopf. Ich taste seinen Arm ab, meine Finger fahren zwischen seine Finger, meine Hand fährt über seinen Oberkörper. Ich berühre seinen Hals, seine Stirn, den Hinterkopf. Ich küsse Frank auf die Nase.

Dad, kannst du nicht schlafen?, flüstert Vince. Er ist wieder aufgewacht und schiebt sich nach vorne.

Von welcher Kraft hat Frank vorher gesprochen, Vince?, frage ich leise.

Weiß nicht. Vielleicht meinte er eher Schlauheit. Er hat sich nicht mehr gemeldet, weil er die Mutter seines Freundes Alejandro aus der Wüste gerettet hat. Du kennst seine Mutter, Martha. Du hast sie bei einer Lehrerkonferenz kennengelernt.

Aus der Wüste hat er sie gerettet? Wieso weißt du das, Vince?

Hat er mir erzählt.

Und ich wusste nichts davon?

Ja.

Martha Redondo? Mit den vier Kindern? Sie hat doch beim Supermarkt RALPHS am Olympic Boulevard gearbeitet, oder?

Ja. Genau diese Martha.

Und sie wurde einfach über Nacht deportiert?

Ja.

Und wieso?

Keine Ahnung. Weil sie eben illegal war.

Und wieso erzählt mir Frank nichts davon?

Weiß auch nicht. Jedenfalls hat sich Martha Schleppern angeschlossen. Die haben sie zurück in die USA gebracht und in der Sonora-Wüste ausgesetzt. So hat es mir Frank erzählt. Irgendwann hat sie Alejandro ihre Position per SMS gesendet. Da, wo Mamas Asche verstreut ist. Da haben sie Martha gefunden.

Ist das ein Märchen, Vince?

Nein. Hat dir Jean-Luc nichts erzählt?

Doch, aber nichts Genaueres.

Wir fahren weiter.

Wo sind wir?, fragt Frank.

Er schaut aus dem Fenster, schweigt.

Auf einem Hochplateau.

Wo kommen diese großen Wolken her, Dad? Wo kommen die her?

Aus dem Tessin. Ich glaube, sie wandern jetzt westwärts, wir werden ihnen folgen. Dort, wo sich die Wolken sammeln, dort fahren wir hin.

Was soll dieser Nebel, Dad?, fragt Frank. Siehst du das rote Licht hinter der Nebelbank?

Ja.

Dort fahren wir hin.

Was ist das für ein Licht?

Ich weiß es nicht.

Morgendämmerung. Kanton Bern. Ein Reisebus aus Polen blockiert die rechte Spur einer Bergstraße. Vielleicht ein Motorschaden. Die Passagiere haben sich über die Alpenwiese verteilt, sie sitzen im

Dunkeln zwischen Felsblöcken, wie Häftlinge, die man ein letztes Mal frische Luft atmen lässt.

Wieso weinst du, Dad?

Ich weiß es nicht. Weil ich glücklich bin. Weil wir alle wieder zusammen sind.

Vince schiebt sich nach vorn, zwischen mich und Frank.

Was meinst du mit »alle«?

Lass Dad reden, Vince.

Wir alle und Mama.

Wieso Mama?

Manchmal fühlt sich die Welt an, als hätte ich keine Verbindung mehr zu lebenden Dingen. Und je mehr sich ein Mensch dem Erleben entzieht, desto näher kommt er dem Tod. Mama zieht mich hinüber. In ihre Welt.

Come on, Dad, snap out of it! Was erzählst du uns da?

So kannst du nicht reden, Dad.

Ich bin sicher, sie will euch sehen.

Come on, Dad! Du weißt ganz genau, das ist unmöglich.

Wieso hältst du jetzt an, Dad?

Siehst du den Bergsee, Frank? Dort kannst du die Asche von Mama verstreuen.

Wie schön das hier ist, Dad. Der Nebel und die Gesteinsformationen. Sieht aus wie eine frisch geborene Landschaft. So rein.

Das ist der See, von dem Mama immer gesprochen hat.

Kannst du dich eigentlich noch an meine Geburt erinnern, Dad?

Klar, Frank. An jedes Detail. Wir waren in einer Geburtssuite untergebracht, ich lag auf einem Sofa, Mama saß in einer großen Badewanne, auf dem Fernseher lief das NBA-Final, *Chicago Bulls* gegen *Utah Jazz*. 96:54. Kann mich gut erinnern. Irgendwann hast du geschrien und warst in Blut getaucht. Ich habe gelacht und die Nabelschnur durchgeschnitten.

Kannst du dich erinnern, Frank?

Er lacht.

Nein, an gar nichts kann ich mich erinnern. An rein gar nichts.

Lass uns jetzt aussteigen, sagt Frank.

Wieso hier?, fragt Vince.

Ich will zu diesem See, Vince.

Hier, nehmt noch ein Trockenfruchtstück.

Wir steigen aus. Frank läuft in den Nebel. Der Nebel ist jetzt wie eine undurchdringliche Wand. Vince hält mich am Arm fest, als sei er blind. Frank eilt davon, als ob er ein Nachtsichtgerät hätte.

Dude! Warte auf mich! Wieso rennst du weg? Was trägt er bei sich, Dad?

Die Dose mit Mamas Asche.

Dude! Wohin rennst du?

Da hinten ist der See. Und ein Felssims. Da steigen wir hinab. An der Forschungsanlage vorbei. Dort ist Frank.

Im Nebel tauchen jetzt rote Warnlampen auf.

Was sind das für Lichter, Dad?

Hier werden Gletscher studiert, der Zusammenhalt der Felsen.

Wieso?

Die Berge drohen auseinanderzubrechen.

Und das kann man erforschen und verhindern?

Vielleicht.

Wann sind die Alpen entstanden, Dad?

Vor vierzig Millionen Jahren. So habe ich es in der Schule gelernt.

Wow!

Und was machen wir jetzt hier? Wir sehen ja gar nichts. Nur die roten Lichter.

Wart ab, Vince, der Nebel wird sich verziehen.

Merkst du, wie sich der Nebel auflöst?

Woher hast du das gewusst, Dad?

Zufall. Der Nebel kommt und geht.

Wir setzen uns auf einen Felsvorsprung.

Bald wird sich der Nebel lichten, Vince.

War ich schon mal hier, Dad?

Ja, mit Mama.

Echt?

Vor langer Zeit, Vince. Wir kamen aus dem Tessin. Da war auch Nebel, und es gab Blitze und dicke Regentropfen, und ich dachte, ich würde halluzinieren. Der Nebel wirkte wie ein weißer Filter, der zu Licht gefroren war. Und es gab Formen, wunderschöne Formen. Und Mama meinte, das sähe aus wie ein Himmelstor. Hier könnte sie sich vorstellen zu sterben. Dann gab es eine Serie von Blitzen, und es donnerte. Und wir zogen uns in diese Höhle zurück, dort drüben. Siehst du die Höhle?

Ja.

Es waren ganz viele Blitze.

Hatten wir Angst?

Nein.

Meinst du denn, dass Mama es genauso empfunden hat?

Was?

Den Tod? Ist das auch so wie ein Nebel?

Kann sein. Vielleicht ist es ein Nebel mit Scherenschnitten durchsetzt, vor einem strahlend blauen Himmel.

Ich lache und ziehe Vince an mich heran.

Er legt seinen Kopf auf meine Schulter.

Wir sitzen jetzt einfach da.

Vor uns der See.

Ich halte ihn fest. Ich spüre seine Wärme, sein Zittern.

Weißt du, ich glaube, der Tod ist ein glücklicher Moment, Vince.

Glücklich?

Ja, ich glaube jetzt ganz fest daran.

Warum?

Mama hat es mir beigebracht. Und vielleicht bringt sie es auch dir und Frank bei. Man muss sich nicht schämen, wenn man stirbt. Der Tod ist auch nicht böse.

Wieso nicht, Dad? Er hat uns auseinandergerissen. Jetzt fehlt Mama.

Ich weiß. Du musst dich aber nicht vor dem Tod fürchten. Ist ein Übergang, ohne Schmerz oder Leid.

Echt?

Schau dort, dein Bruder. Am See.

Hey, Dude! Hier oben sind wir! Hier oben! Komm zurück!

Vince winkt seinem Bruder. Frank sieht ihn nicht.

Er steht jetzt vor leuchtend grünem Wasser.

Er starrt ins Wasser. Kalter Wind fegt über den Totensee.

Wieso zieht er sich jetzt aus? *Hey Bro*, wieso ziehst du dich aus?!

Frank steht nackt am Ufer. Seine Kleider auf einen Haufen geworfen. Kreise wandern über das Wasser. Kleine Wellen. Nach kurzer Zeit verschwinden sie wieder.

Ist der verrückt geworden? Will er wirklich im See schwimmen? Ist doch viel zu kalt!

Vielleicht will er uns was beweisen, Vince.

Dude! Du musst uns nichts beweisen! Sonst muss ich dich noch aus diesem blöden See retten!

Frank reagiert nicht.

Bro, bist du verrückt geworden? Komm zurück!

Vince will zu seinem Bruder rennen. Ich halte ihn auf.

Er kommt nicht zurück, Vince. Er will ins Wasser.

Ist es nicht viel zu kalt, Dad?

Ja.

Wieso hältst du ihn dann nicht auf?

Ich schweige. Dann sage ich:

Er wird das schaffen.

Wieso stoppst du ihn nicht? Das ist doch krank!

Vince zieht sich seinen Hoodie über den Kopf, er will sich wieder losreißen.

Ich halte ihn fest.

Bro, nicht ins Wasser! Bist du verrückt geworden?

Frank steht noch immer nackt am Ufer. Er winkt uns zu. In der anderen Hand hält er die Dose mit der Asche.

Bro! Das ist total krank!

Lass ihn machen, Vince. Vielleicht will er ein bisschen Mutprobe spielen.

Mit der Asche?

Vielleicht.

Wieso lässt du das zu, Dad?

Ich nehme Vince fester in die Arme.

Frank schaut zurück. Er lächelt uns an. Dann schaut er aufs Wasser, beugt sich vor, über einen Felsvorsprung. Immer weiter vor.

Bis er fällt.

Er fällt und schlägt auf dem kalten Wasser auf.

Dude! Wir müssen ihn rausholen, Dad! Schau doch!

Immer neue Kreise tauchen im Wasser auf. An anderer Stelle verschwinden sie wieder.

Vielleicht hat er etwas aus der Tiefe gehört.

Was soll er gehört haben, Dad?

Eine Stimme, Vince.

Eine Stimme? Was für eine blöde Stimme soll das sein, Dad?

Vince reißt sich von mir los. Er rennt den Berghang hinunter.

Dude!

Er nähert sich dem flachen Ufer, streift seine Turnschuhe ab. Da steht er mit nackten Füßen im Wasser des Totensees.

Bro!, ruft er und blickt nach den Kreisen, die sich ausbreiten und verebben. Was hörst du?

Auszug aus

TOM KUMMER
NINA & TOM

ROMAN

TROPEN

1

Der Morgen, als Nina zum letzten Mal in den Spiegel schaut.
Ich bin erwacht. Wir liegen nebeneinander. Ich strecke meine
Hände aus, um ihre Haut zu berühren. Noch ist es dunkel in unserem Zimmer. Durch die Jalousie ist ein blutroter Streifen am Horizont zu erkennen. Ich ertaste ihre Brust. Sie hebt und senkt sich
weich. Jeder Atemzug aus Ninas geöffnetem Mund fühlt sich kost-
bar an. Jedes noch so seltsame Geräusch bedeutet Leben: Husten.
Röcheln. Luftholen. Das Rascheln der mit Plastik überzogenen Matratze. Manchmal höre ich Wörter. Zusammenhangslose Wörter.
Wie eine Botschaft aus einer fernen Galaxie. Ich liege dann einfach
neben Nina und lausche.

Ich sehne mich nach Intimität. Ich will Nina berühren. Und lasse
morgens immer öfter meine Hand zwischen ihre Beine gleiten. Vielleicht will ich nur testen, was ihre Leblosigkeit noch zulässt. Nina
war unberechenbar. Früher bewies sie mir ständig ihre sexuelle
Hemmungslosigkeit. Manchmal trank sie Unmengen heißer Schokolade mit Vanille, um sich zu stimulieren. Zucker machte sie
wild. Dabei war sie immer schlank. Dieses Ausgehungerte der Foto-
modelle war ihr angeboren.
    Nina tat nie, was ich wollte. Sie mochte es nicht, ihre Zunge ein-
zusetzen. Ich glaube, sie hatte irgendwann keine Lust mehr auf mein

LESEPROBE

Sperma. Sie entschied, wann ich mich ausziehen und was ich mit ihr anstellen durfte. Beim Sex war sie nur an sich selbst interessiert. Meistens stieg die Geilheit wie ein Wahnsinn in ihr auf und löschte alle Vernunft. Ihr narzisstischer Jetzt-und-Alles-Terror konnte nur befriedigt werden, wenn man sie körperlich schockierte. Dabei ist Nina ein zerbrechliches Wesen.

Jetzt liegt sie einfach da. Speichel läuft aus ihrem Mundwinkel. Sie berührt meine Hand. Ich putze ihr Gesicht sauber, während hinter Downtown das Morgenlicht wie eine detonierende Napalmwand aufsteigt. Dann ziehe ich die Jalousie hoch. Eine riesige LED-Leucht-werbung über dem Wilshire Boulevard verkündet die Botschaft von M&M's: *Melts in your Mouth, not in your Hand.* Ich höre mein iPhone vibrieren. Europa meldet sich bei uns zwischen 6:30 und 8:30 Uhr. Es sind besorgte Anrufe von Freunden. Ich nehme nicht mehr ab.

Ich schalte die Nachttischlampe an. Es ist das Signal für unsere Jungs, Jack und Henry, die am anderen Ende des Schlafzimmers in ihren Kajütenbetten liegen, aufzustehen. Unser gemeinsames Schlaf-zimmer ist zehn Meter lang und sieben Meter breit. Über unserem Bett hängt eine einäugige Puppe des Künstlers Mike Kelley, über Jacks Bett thront Mario Götze im Dress der Borussia Dortmund, Henrys Schlafstelle ziert ein Schal des FC Arsenal London. Dort, wo die Kajütenbetten stehen, lagen Henry und Jack als Babys in einer Krippe. An der Decke rotiert ein Ventilator. Während des North-ridge-Erdbebens 1994 ist das schwere Ding auf unser Bett gefallen. Damals rettete ich Nina, indem ich sie rechtzeitig auf meine Seite zog.

Am Boden verstreut liegen Lego-Spielsteine, iPod, iPads, Ver-packungen von Videospielen, Bücher, Kleider, eine »Glock«-Luft-pistole. Wir haben unsere verwilderte Wohnlandschaft irgendwann

LESEPROBE

»Widerstandsnest« genannt und es aufgegeben, nach einem typisch amerikanischen Haus mit viel Platz und Vorgärtchen zu suchen. Nichts ist hier privat, nichts bleibt geheim. Keine Bewegung, keine Laune, kein Stöhnen.

Manchmal wirken unsere Räume klaustrophobisch, dann wieder wie ein warmes Nest. Manche Möbelstücke haben Schäden, die auf Gewalt verweisen. Es hängen alte Kinderzeichnungen an den Wänden. Auf dem Nachttisch neben Nina liegt *Love Story* von Erich Segal, das Buch zum großen Kinohit der siebziger Jahre mit Ali MacGraw und Ryan O'Neal. Nina hat es ihr Leben lang mit sich herumgetragen und mir war es immer schon unbegreiflich, was sie an dieser Schnulze gut findet: Bildschöne Studentin aus einfachen Verhältnissen trifft bildschönen Kommilitonen aus reichem Haus, verliebt sich, heiratet ihn trotz sozialer Widerstände, erkrankt an Blutkrebs und stirbt. Und jetzt liegt das Buch neben Ninas Bett. Als ob das der letzte Stoff wäre, den sie sich noch reinziehen will.

Auf dem Teppich sind Spuren unseres Lebens zu sehen, schwarze Schlieren, weiße und rote Flecken. Hier habe ich herausgefunden, dass Nina es mag, wenn ich ihren Hals würge, während ich von hinten in sie eindringe. Tatsächlich hat sie irgendwann zugegeben, dass sie beim Orgasmus spüren möchte, wie sie erstickt, eine Panik beim Kommen, vielleicht wie beim Sterben. Zärtlichkeit war nie ihr Ding.

Ich schiebe mich näher an Ninas Gesicht heran, studiere ihren Zustand. Unter den Augen sind dunkle Ringe, die Lider angeschwollen. Sie sieht schön aus mit diesen tieftraurigen, kranken Augen. Sehr ausdrucksstarke Augen, die mit zunehmender Leblosigkeit wie ein Spiegel der Seele wirken. Aber was gäbe es da nach dreißig Jahren noch zu entdecken?

Ihre wächserne Haut ist durchscheinend. Die Lippen glänzen von

LESEPROBE

zu vielen Schichten teurer Hautcreme gegen wütende Allergien. Nina ist fortwährend übel. Und wenn sie von Zeit zu Zeit mit aller Kraft versucht, sich aufzusetzen, so gelingt ihr das nicht. Also richte ich sie auf und schiebe ihr, wie jetzt, kleine Trockenfruchtstückchen in den Mund. Speichel tröpfelt an den Mundwinkeln hinunter, weil sie nicht schlucken kann oder nicht mehr will. Meistens reißt sie dann ihre Augen vor Entsetzen auf. Stummes Entsetzen.

In den letzten Wochen versuchte Nina, mir immer wieder zu erzählen, wie sie sich fühlt, mit hauchender Stimme, ganz langsam. Sie sagte, es sei, als ob ihre Augen aus den Höhlen zu springen drohten. Ich hatte mein Ohr an ihren Mund gepresst, um sie besser zu verstehen. Sie sagte, dass der Schmerz durch ihren Kopf schieße und in ihren Ohren und Schläfen steche. Der Körper brenne, werde manchmal starr, als würde er vor Anspannung zerspringen. Sie versuche dann, sich zu krümmen. Und ich massiere Nina, bis sie signalisiert, dass das überhaupt nicht helfe. Es fühle sich an, als würde jede einzelne Zelle ihres Körpers versengen, sämtliche Knochen gebrochen werden. Manchmal rieche sie Verbranntes. Das Brennen in den Augen sei das Schlimmste. Sie reibt sich auch heute minutenlang die Augen. Sie kratzt ihre Haut. Sie kratzt sich ständig.

Ich schiebe mich noch näher an sie heran. Sie keucht unregelmäßig. Ich streichle ihre Beine. Auf ihren Fingernägeln sind Spuren von rotem Nagellack zu sehen. Ich berühre ihre Nachtwindeln. Wir liegen jetzt in Löffelstellung aneinandergeschmiegt. Ich drücke mich gegen ihren Hintern. Ich rieche ihre Haut. Ich spüre Bewegung in Ninas Körper, als würde sie meine Nähe fordern. Ich küsse ihren Hals, der sich fettig anfühlt. Plötzlich rudert sie mit ihren Armen, schlägt ihre Hand gegen meinen Kopf. Sie stößt mich weg, mit letzter Kraft vielleicht. Sie will mich nicht spüren. Doch ich lege mein Ohr zurück an ihren Mund. Sie will schreien, schafft es aber nicht, auch nur einen Laut von sich zu geben. Also verharrt sie im Schmerz.

Der Sauerstoffmangel vermag nur langsam, Ninas Gehirn und ihre Gedanken zu vernebeln. Der Arzt hat es mir überlassen, zu entscheiden, wann sie Morphium bekommen soll. Ich weiß, dass das Morphium einen endgültigen Abschied bedeuten würde.

Jack steht neben dem Bett. Er studiert Ninas Gesichtszüge. Ihre Augen sind geschlossen, der Mund leicht geöffnet. Unser Sohn wirft mir einen fragenden Blick zu. Henry, der Ältere, schleicht kommentarlos vorbei. Henry ist sechzehn. Jack ist zehn. Henry ist der Empfindsame, Jack der Aufgeweckte. Henry hat sämtliche Selbstschutzjalousien heruntergefahren, Jack zieht sich alles ungefiltert rein. Henry findet es komisch, dass ich Nina nicht im Hospiz unterbringe. You're so weird, Dad. »Weird« ist sein Lieblingswort. Beide kennen den Ernst der Lage. Wir sprechen offen über alles. Sie schweigen meistens.

Jack und ich stehen minutenlang stumm vor Ninas Bett. Manchmal fühlt es sich an, als würden wir uns das stille Spektakel *Sterben* wie eine Reality-Show reinziehen. Nina ist jetzt in einen Halbschlaf gefallen. Wir konzentrieren uns auf ihr extrem schnelles Schnaufen.

Und ich muss dabei an das Jüngste Gericht denken. Das archaische Urbild des auf dem Sterbebett Ruhenden. Auch bei uns hat das Schlafzimmer eine neue Dimension bekommen. Unser Bett wirkt wie eine Bühne. Unser Bett hat sich zum Sterbebett gewandelt. Ich denke sehr klar. Ich kann nicht weinen.

Ich habe dieses Bett kürzlich bei einem jüdischen Matratzen-Experten am Pico Boulevard zum halben Preis bekommen, direkt ab Lager. Marke: *Simmons Beauty Sleep*. Unser medizinischer Versorger –

Kaiser Permanente – hat uns längst kostenfrei ein Krankenhausbett mit allen technischen Spielereien angeboten, eine mobile Toilette wäre bei unserem Versicherungsplan auch dabei, dazu eine Gehhilfe aus Aluminium. Vor zwei Wochen hat eine Sozialhelferin uns ein fahrbares Gestell für das Atemgerät präsentiert. Ein anderes Gestell für Beutel mit hochkalorischer Nahrung. Einen Cough-Assist, der das Husten erleichtern soll. Nina ist zusammengebrochen, als ihr die Funktionalität dieser Geräte erklärt wurde. Dabei war sie immer superpositiv konditioniert, was den Kampf gegen ihre Krankheit angeht. Nichts verschwamm für Nina in nebulösem Schrecken. Doch der Besuch des Pflegedienstes war für sie unerträglich. Seitdem übernehme ich diese Gespräche.

Der Arzt hat Tabletten verschrieben, die Krankenschwester hat Morphium empfohlen, der seelische Fürsorger fragte nach, wie es den Kindern gehe. Und ob es für mich in Ordnung sei, Nina zu Hause zu pflegen. Ich habe erklärt, es gäbe für uns keine andere Lösung.

Ich mag diese Leute. Sie sind sehr nett. Aber Krankenhausgeräte kommen vorerst nicht in unser Schlafzimmer. Ich weiß nicht, wann Ninas Todeskampf genau beginnen wird. Und wie die Anzeichen für diesen letzten Kampf aussehen. Vielleicht hat er schon begonnen, und wir merken es nicht. Und stehen blöd herum.

www.tropen.de

Tom Kummer
Nina & Tom

Roman
256 Seiten, broschiert
ISBN 978-3-608-50453-8
€ 10,– (D) / € 10,30 (A)

»Tom Kummer schreibt mit einer ungeheuren sprachlichen Zärtlichkeit.«
SWR

Nina & Tom sind das ungleiche Paar, das nur die Extreme kennt. Doch nun, nach dreißig gemeinsamen Jahren, ist Nina krank. Sie wird sterben. Und niemand kann sie davon abhalten, ihre letzten Tage in Freiheit zu verbringen.

»Herzzerreißend.«
Neue Zürcher Zeitung